新にっぽん診断

腐敗する表層、壊死する深層

斎藤 貴男
前田 朗
共著

三一書房

はしがき

2020年は誰も予想しなかった一年になりました。

新型コロナ禍が世界を覆い、人類の未来に影を投げかける事態となりましたから、問題は世界的であり、文明と環境をめぐる議論に拍車がかかりました。楽観論と悲観論の間で、私たちはいかに生きるべきかを改めて問われています。

視線を日本に限ると、20年は別の意味でも予想外の年になりました。

20年夏には最大のスポーツイベントである東京オリンピック・パラリンピック（TOKYO2020）が予定されていましたが、新型コロナ禍のため2021年に延期になりました。TOKYO2020－2021開催が実現できるかどうかも先行き不透明が続いています。

20年8月に辞任表明した安倍晋三首相は「2020年を新しい憲法が施行される年にする」と豪語して、改憲を最大任務としました。ところが、史上最長の首相在任記録を達成するや、突如として辞任してしまいました。持病の悪化が理由とされていますが、不可解な辞任のため、政権の守護神と言われた賭けマージャンの黒川弘務検事長の失脚や、河合克行前法相と河合案里参院議員の贈賄裁判の帰趨が影響したのではないかとの推測もあります。

9月に発足した菅義偉内閣は「安倍政権の継承」を掲げ、政策を見ても閣僚人選を見ても安倍政権の横滑り内閣です。菅首相は「仕事をする内閣」と表明しましたが、「何の仕事をするのか」と聞かれても、安倍政権の継承、新型コロナ対策がせいぜいで、目玉にしたのはデジタル庁設置程度です。長期にわたって官房長官を務めた菅首相ですから、安倍政権の光も影もそのまま背負うしかありません。日本学術会議任命拒否事件は、まさに影の継承を露呈しました。

本書はこうした日本の現状を、少し長いスパンで診断する試みです。

その際に一つの手がかりとしたのは、１９６４年の東京オリンピックを迎えようとする時期に出版された1冊の著書です。『にっぽん診断――オリンピックの後どうなる』（三一新書）は国民文化会議マスコミ研究会の企画で、社会学者の日高六郎、ジャーナリズム研究の佐藤毅らが、60年安保から64年のオリンピックと新幹線開業、68年の明治１００年、70年の大阪万博へと沸き立つ日本の実相を批判的に解析しました。

２０１８年の明治１５０年、19年の天皇代替り、20年の東京オリンピック（延期）、25年の大阪万博、27年のリニア新幹線、30年の札幌オリンピックとスケジュール化された新しい「日本構想」に突き進む日本の実相を、その表層と深層に目を向けながら分析することが本書の課題です。

そのためには『にっぽん診断』の時代と現在を結び、双方の間を往還しながら、現在と近未来を測定する方法が必要となります。

本書第1章では、2020年夏に突如として安倍首相が辞任し、菅政権が発足したので、菅政権をどう見るかを話し合いました。

第2章では、2020年の最大の出来事として新型コロナ禍と、その対策が日本国家と社会にいかなる変化をもたらすかを考えました。

第3章では、3・11フクシマ原発事故にもかかわらず原発にしがみつく日本を、東京電力の歴史と特質を追跡しながら考えました。

第4章では、高度経済成長以後の日本経済発展を支えた条件が「戦争経済体制」だったことに焦点を当てました。平和国家を自称しながら、戦争経済に依存してきた日本の深層です。

第5章では、消費税増税問題を手掛かりに、民主主義をなし崩しにし、人々の暮らしを破壊する棄民政策の実態を追跡しました。

「新にっぽん診断」のために取り上げるべきテーマは他にも数多くありますが、本書で提示した視点でさらに議論を深めて行きたいと思います。

もくじ

はしがき ―― 2
第1章 菅政権をどう見るか――アベコベ政権からアベスガ政権へ ―― 6
第2章 新型コロナの時代――さらに加速する監視社会化 ―― 37
第3章 東京電力に見る日本的システム――嘘と隠蔽と排除の構造 ―― 85
第4章 戦争経済大国の実像――朝鮮戦争、ベトナム戦争、高度経済成長 ―― 131
第5章 消費税増税から改憲へ――棄民国家の行く末 ―― 169
あとがき ―― 220

第1章 菅政権をどう見るか

――アベコベ政権からアベスガ政権へ

アベ辞任の怪

前田――2020年9月、菅義偉内閣が発足しました。安倍晋三の突然の辞任、それに続く自民党総裁選、そして菅政権の成立に至る経過をご覧になって、いかがでしょうか。

斎藤――安倍が病気で辞任するという話になった時に、最初イカサマではないかと思いました。サクラ（桜を見る会疑惑）の件や、コロナ対策の失敗が山積みで、国会を閉会したまま開こうとしない。国会から逃げることが目的で、病気を演出したのではないかと感じました。

首相の病気というのは非常に重大問題ですから、普通、隠します。国内的にも対外的にもまずいし、株価にも影響します。ところがわざわざ車列をつくって、これみよがしに病院に通って、それを大々的に報道させました。どこかの王様や、昭和天皇の下血の時みたいです。

前田――以前はすべて隠していました。

斎藤——そうですね。なぜかショーのように演出して、それから一気に辞任になる。最初から、自民党総裁の後任は菅官房長官しかいないという話が出ていました。早々に麻生太郎副首相・財務相が菅支持を打ち出しました。きわめて不自然です。

前田——二階俊博自民党幹事長は最初から、総裁後任は菅しかいない、という態度でした。麻生と二階は、一見対立するような面も見せていましたが、総裁は菅しかいない、という流れを作った。この二人ですべて決まったと言ってよいくらいです。

斎藤——総裁選と言っても、最初から結論の決まったセレモニーでしかありません。立候補した石破茂、岸田文雄はいちおう次のために出たにすぎず、すべてシナリオ通りです。

イカサマ、ヤラセが常態化した人たちですから、しばらく休んで局面が変わったらまた安倍が出てくるのではないかとさえ思えて恐ろしい。安倍がなんとしてでもやりたいと言ってきた憲法改正につながる局面になったら、また出てきて、第3次安倍政権もあり得るのではないか。

前田——第3次安倍政権ですか。

斎藤――あって欲しくないことですが、ありえないことではないように見えます。菅首相がやりたいことがしっかりあって、政局が他の展開をするとなれば別でしょうが。菅は菅で、また別の恐ろしさを感じます。まあ、とにかく憲法改正への下地を作ったらまた安倍に戻せよ、というたぐいの約束があって、安倍から菅への「禅譲」が決まったのではないかと思います。それは安倍が思ったように憲法改正の流れをつくれなかったことと関係します。安倍の主張は額面通りに受け取ってよいと思うのですが、彼は２０２０年に東京オリンピックを開催するとともに、この年に改正憲法を施行したいと言ってきたわけです。

前田――17年の憲法記念日の改憲集会に向けたビデオ・メッセージで打ち出した筋書きです。

斎藤――明治１５０年（18年）、天皇代替り（19年）、東京オリンピック・パラリンピック（20年）、大阪万博（25年）、リニア中央新幹線開業（27年）、札幌オリンピック（30年）という一連のイベントの中に、憲法改正のスケジュールを入れていた。安倍流の「新しい帝国主義宣言」です。
ただ、そううまくは運ばなかった。だから気力の萎えもあり病気で体調も悪いため、とりあえず一休みした面があります。菅政権がどうなるかによるので予測の限りではありませんが、場合によっては安倍再登板の可能性も残していると思います。

前田――菅政権が「第2・5次安倍政権」となるのか、本格政権となるのか、微妙なところがあります。9月28日の自民党細田派の会合に安倍が登場して、薬で体調がよくなったとはしゃいでいました。一部には「院政」という声もあります。

粛清政治の始まり

前田――菅政権は当初から「安倍内閣の継承」を掲げています。安倍政権の何をどう引き継ぐかということだと思います。批判する側から「アベのいないアベ内閣」、「居抜き内閣」とも言われるように、二階俊博自民党幹事長、麻生太郎副首相・財務相をツートップに、安倍内閣時代からの横滑り大臣が目立ちます。菅首相自身は「仕事をする内閣」と言っています。

斎藤――「粛々と仕事する」と言っていますが、これはキャラクターに規定されているのかもしれません。安倍は大言壮語しますが、菅は継承すると言いながら、地道に、これまでの「官房長官・菅」のイメージ通りに粛々と仕事を進める。「粛々」というのは、沖縄・辺野古基地問題でも菅は言っていました。行政が決めたことをまさに「粛々」と進める。

前田――議論を認めず、抵抗を許さない。「粛々」と言いますが、「粛」というのは静まり返っていることです。反対意見を押さえつけて、黙らせる。「粛清の菅」です。

斎藤――新自由主義的な規制緩和がさらに強まるでしょう。安倍のやり方は、新自由主義だけど同時に帝国主義ですから、帝国主義を成立させるために国内をまとめていく。そこでは、リベラル派の政策でも使えるものは取り込んでいくという側面もありました。教育の無償化のような、普通の新自由主義ではないこともやっていた。単なる人気取りにプラスして、帝国主義への渇望に従って進めていた。菅首相にはそうした性格は強くなさそうですが、不妊治療を保険にするような政策を、目立つところでいくつか取り入れていくことはあるかもしれません。自民党的というか、男尊女卑的な政策ばかりではなく、一歩譲るというか、リベラル側を取り込むことは考えるでしょう。

前田――男尊女卑では、麻生副首相のセクハラ問題への姿勢や、「アベ友」ジャーナリストによる伊藤詩織さんレイプ疑惑の顛末を見ても、惨憺たるものです。「失言女王」の杉田水脈衆院議員が「女性はいくらでも嘘をつける」などと発言して批判されています。菅首相は「自助、共助、公助」と言い出しました。行政のトップである首相が最初から「自助」を唱え「公助」を疎かにするのは「職責放棄宣言」ではないかと思いますが。

斎藤――「自助、共助、公助」を批判的に検討することは重要です。ただ、これを菅政権批判の文脈に位置づけるのは少し違うと思う。自民党は以前からずっとそうでした。

前田――2010年の自民党綱領の「基本的考え方」に自立と自助が掲げられました。

斎藤――自民党だけではなく、政府も自助論を採用してきました。2012年の消費税問題で、税と社会保障の一体改革で3党合意をした直後にできた社会保障制度改革推進法、その次の増税の直前の2013年12月でしたか、社会保障制度改革プログラム法ではっきり自助を繰り返し明言しています。自民党が言っているだけではなく、法律になっている。

プログラム法に至ってはとんでもなくて、社会保障における政府のあり方として「政府は住民相互の助け合いの重要性を認識し、自助・自立のための環境整備などの推進を図るものとする」という書き方です。政府がやることは、自助しやすくするための環境整備を図るだけだという。結果に責任をとらない。それを菅首相が「自助、共助、公助」とあえて言っている。

スーパーシティ構想とは

前田――規制緩和と言っても、何をするのかと思いますが。

斎藤――その先となると、柱はスーパーシティ構想ということになるでしょう。ＩＴ業界のための自由化や規制緩和が一気に進められ、世の中はすべてＩＴ資本のためにあり、我々はその下で働き、監視される客体に位置づけられる。そういう社会づくりが推進されていく。

前田――菅内閣の目玉として「デジタル庁」の新設があげられます。菅首相は「行政の縦割りを排し、既得権益や前例主義を排し、規制改革に全身全霊で取り組む」と述べて、縦割り行政の改革とデジタル庁を結びつけています。菅政権の看板政策とされ、平井卓也デジタル改革担当相が司令塔とされています。

斎藤――縦割り行政がすべて悪いとは思いません。省庁再編で内閣府ができて、各省庁から優秀な官僚を集めた。内閣府が中心になって政策を進める。そうなると、各省庁が専門性をもってやっていた仕事がすべて一元化されていく。内閣府にすべて管理されるようになると怖いのは、たとえば文部科学行政でいまＧＩＧＡスクールというのが始まっています。生徒一人ひとりにタブレットを持たせて、オンライン授業ができるようにする。これだけを取ればよい面があるのかもしれません。いじめ被害を受けた生徒が学校へ行けなくても、タブレットがあればきちんと学習ができる環境ができる可能性も出てきます。でも、そういう視点の話ではない。というのも、ＧＩＧＡスクールはもともとは経済産業省の仕事だったのです。「未来の教室プロジェクト」というのがあって、ＧＩＧＡスクールの原型のアイデアを提案していた。窓口はボストン・コンサルティング・グループ。教育の話なのに、文科省でなく経産省がやり、窓口は外資系のコンサルティング会社です。それが発展してＧＩＧＡスクールになった。縦割り行政問題どころの騒ぎではなくて、文科省が経産省に併合されたような話です。

前田——文科省が経産省の植民地になり、文部行政が産業政策に直結させられる。

斎藤——いずれ文科省は経産省に吸収されるのではないかと危惧されます。文科省はやはり教育の専門家が集まるところだから、批判はいろいろあるにせよ、教育の理念を踏まえて施策を考えます。だから対立はしても、日教組との対話も成立する。それが内閣府の支配に露骨にさらされる。政治の、権力者の単純な思い込みで教育行政が曲げられていきかねません。

前田――教育が利潤目的だけで語られるようになる。

斎藤――こういうことがあちこちで起きてくる可能性がある。デジタル化によって縦割り行政の弊害がなくなるのは嘘ではないでしょう。ただ、それはよいことばかりだとは思えません。厚生労働省だって、そういう変質の危機にさらされているように思います。

前田――安全性より利潤追求が優先する。

斎藤――デジタル庁の話を聞いて思うのは、新型コロナウイルス接触確認アプリ（ＣＯＣＯＡ）が機能していないことです。ＣＯＣＯＡをインストールしたスマホで、あなたは感染した恐れがあると連絡が来ても、正確な表示がなされない不具合の報告が話題になっています。困ったことがあったら厚生労働省に連絡するように、と書かれているのはよいのですがメールアドレスだけが表示されている。メールを送ってもまったく返事がきません。仕方なく厚労省に電話をすると「ここでは受け付けていない」として民間業者に回されるのだとか。

前田――何のために最新技術のＣＯＣＯＡなのか、わからなくなります。

斎藤――技術が伴っていない上に、そもそも感染接触を確認しそれを通知し、検査し、感染していれば治療しましょう、という「意思」がまったくないんです。どこまでも国民を監視したい、監視の口実のためのＣＯＣＯＡにすぎません。志が低すぎます。

デジタル庁がどうのこうのと言っても、既得権益の排除や、縦割り行政の弊害をなくすことがあると言っても、それは副産物にすぎず、監視が進められるだけです。

前田――既存の日本経済界におけるＩＴ企業を中心とした再編成が進んできました。基幹産業が鉄鋼や自動車産業だったのは昔話で、いまやＩＴ企業が中軸と化しています。

斎藤――日本のＩＴ企業というよりは、ＧＡＦＡの支配です。

前田――グーグル（Google）、アップル（Apple）、フェイスブック（Facebook）、アマゾン

（Amazon）は、アメリカを代表するＩＴ企業です。プラットフォーム企業という言い方もされますが、世界中の圧倒的多数のユーザーがいまやＧＡＦＡのサービスを利用しています。

斎藤――要はＧＡＦＡによる世界支配の流れに、いかにうまく飲み込まれるか。いまやＧＡＦＡが「神様」ですから、ＧＡＦＡに反しないように、その世界に安住させてもらうために政策を変えていかないといけない。そのためにデータはいくらでも売り飛ばす。この点で菅政権の意向は安倍政権より明確でしょう。氏名、住所、誕生日、購入歴、家族情報をはじめとする消費者の個人情報が大容量のビッグデータとして集積されていく一方です。

前田――生活に不可欠の商品・サービスに関する個人情報の独占が世界中で不安を呼び起こしていますが、ＩＴ化の大波を止めることは容易ではありません。９月29日、ＮＴＴがＮＴＴドコモの完全子会社化を発表しました。ＧＡＦＡ支配の中で、ＮＴＴがいかに生き残るかです。

「新しい生活様式」の出所

斎藤――新型コロナ禍のなかで「新しい生活様式」という言葉が使われました。ところが興味深いことに8月10日、片山さつき参院議員が時事通信のインタヴューに答えて、「『スーパーシティ』になるしか自治体は生き残れない。キャッシュレス決済、自動走行車両の導入、行政手続きのIT化など新しい生活様式をデジタルでつくり上げる取り組みだ」と言っています（時事通信8月10日配信）。

前田――片山さつきは自民党総務会長代理でしたが、前地方創生担当大臣です。

斎藤――これからの地方都市はスーパーシティにならないと生きていけないと言っています。片山さつきは7月にスーパーシティについての本を出版したので、そのインタヴュー記事だったようですね。キャッシュレス化、自動車自動走行、行政手続きのIT化のような「新しい生活様式」に対応した取り組みだという。「新しい生活様式」という言葉が、いつの間にか「スーパーシティにおける人間の生き方」という言い方になっている。

前田――「新しい生活様式」は新型コロナの専門家委員会が、マスクをする、ソーシャルディスタンスだ、うがいをするといった感染予防のために使った言葉です。

斎藤——みんなはそう思っていたのですが、違うのです。調べてみると、7月には第2次補正予算が組まれました。コロナ対策として1兆円が用意されました。国が地方自治体に配分するお金です。その地方創生臨時交付金の使途が大きく2つに分けられています。1つは「事業継承や雇用維持等への対応」です。これはわかりますし、結構なことです。

ところがもう1つは「新しい生活様式等への対応」となっていて、具体的には「地域未来構想20」として20の項目が列挙されています。「『コロナ対応型スーパーシティ』の前倒し実現」、「キャッシュレス決済の普及推進及びデータの利活用」、「GIGAスクール構想の更なる加速・強化等による新たな時代に相応しい教育の実現」が並んでいます。

前田——新型コロナ対策に便乗して、デジタル化推進政策をどんどん進めようとしている。

斎藤——要は、いままでIT化を進めようとしてきて賛否があってなかなか進んでいないものを列挙している。キャッシュレス化の項目には「現金に触れないために衛生的」とか、「従業員と顧客の接触機会を減らすという観点」などと言っています。一見もっともらしいのですが、中身は何もない。それどころか現金のやり取りでコロナに感染するなんて根拠は何も立証されていないことを公文書に書かれてしまったら、現金で買い物をする人は、まるでウィルスをばら撒く反社会的勢力、ということになりかねません。

前田――新型コロナ禍で必要な医療政策は立ち遅れるばかりですが、コロナ禍に便乗した利権追求、政治利用は急速に進められる。上からの「新しい生活様式」という「監視社会における生き方マニュアル」に服従させられるのは私たちです。

斎藤――社会全体に及びます。キャッシュレスというのは、現金決済を認めないわけですからスマートフォンを持っていない人間は生活できなくなってしまう。両方あればいいのです。現金でも買えます、スマートフォンでも買えますというのならよいです。しかし、現金お断りというお店も出てきます。スマートフォンを持っていないと買い物もできない。

前田――金銭だけでなく、運転免許をはじめ、身分や資格に関連する情報もすべてデータ化される。私もそろそろスマートフォンを買わないと（笑）。

斎藤――私はそれでも買わないつもりです（苦笑）。買い物も身分証明も含めて、すべて足跡を残すことを余儀なくされ、情報が一方的に管理され、あらゆる行動を見張られる。

これは笑い話で済むことではなく、「新しい生活様式」はかなり周到に準備されていたことに気づく必要があります。

スーパーシティの他にも、たとえば2020年1月23日に内閣府の「総合科学技術・イノベーション会議」が公表した「ムーンショット型研究開発制度が目指すべき『ムーンショット目標について』」にすでに登場していました。政府は2050年までに、個人が一つの仕事に対して10体以上のアバター（身代わりロボットや3D映像等）を自在に操作できる基盤を構築し、「誰でも身体的能力、認知能力及び知覚能力をトップレベルまで拡張できる技術を開発し、社会通念を踏まえた新しい生活様式を普及させる」としています。

前田――1月23日に想定されていた「新しい生活様式」と、新型コロナ対策で用いられた「新しい生活様式」がどこかでつながっていったのかもしれません。

斎藤――マスクは服従のシンボルでもありますね。全容は見えていませんが、随所に出てくると思います。

7月2日・3日に開かれたJTBコミュニケーションデザイン主催のオンラインセミナー「Super city/ Smart city OSAKA」で、永山寛理・内閣府地方創生推進事務局参事官が基調講演をしています。「『スーパーシティ』構想の実現に向けた取り組みについて」という講演で、永山参事官はスーパーシティの狙いとして少子高齢化や労働力の低下などの解決や、「新型コロナウイルス感染症対策を踏まえた新しい生活様式の定着」を掲げています。

前田――新型コロナ対策で言われたはずの「新しい生活様式」が、スーパーシティ、丸ごと未来都市構想と結びついてきた。

斎藤――スーパーシティについては、5月下旬に改正国家戦略特区法が可決・成立しました。AIやビッグデータを活用して、自動運転やキャッシュレス決済、遠隔医療など、都市生活の在り方を一新するための社会インフラ整備です。

前田――新型コロナ禍のどさくさにまぎれての採決でした。

斎藤――国民民主党の原口一博国対委員長が「火事場泥棒のよう」と憤っていました（朝日新聞5月28日付朝刊）。

大阪都構想の背景

前田——菅首相は秋田出身であるとか、政治家への道を横浜市議からスタートしたことを取り上げて、地方を重視するかのような発言を繰り返しています。「地方分権を進める」とも言っていますが、もともと地方交付税制度を批判して、大都市重視の政策を主張していたはずです。ふるさと納税も菅官房長官の提案施策だそうですが地方を混乱させた面もあります。

斎藤——自民党の政治家は世襲化しているので、それとは違って自分で努力してきたことを売り込んでいるのが本当のところでしょう。それ自体は嘘ではありません。

しかし地方重視と言っても、片山さつきがいうようなＩＴ活用に行き着くのではないかと思います。ＩＴを活用すれば地方も生き残れるという論理です。スーパーシティは、地域ではキャッシュレスとか、すべて自動運転で、「丸ごと未来都市」と言っています。それを推進するので、いわば「ＧＡＦＡ内閣」と言ってよいでしょう。

前田——大都市か地方かではなく、大都市も地方も「丸ごと未来都市」＝ＩＴ化です。「大阪都構想」もその中にあるように見えます。

斎藤――実際、スーパーシティ構想に名乗りを上げている都市は30くらいありますが、大阪市と大阪府が入っています。二度目の住民投票で否決された「大阪都構想」が連動しているわけです。二重行政の弊害と言っていますが、むしろ「維新」の独裁を続けたいからでしょう。大阪のスーパーシティの取り組みは先行していて、すでに大阪商工会議所が内閣府の担当者を呼んで、何度もシンポジウムをやっています。民間レベル、業者と一体となって、大阪万博の目玉にする。2025年の大阪万博でお披露目するために進めています。

前田――大阪市の財政に大阪府が手を突っ込んで、その上がりをIRにつぎ込むのではないかという話もあります。

斎藤――IRもスーパーシティもそうですね。時々の都合で優先順位は変わるかもしれませんが、巨大都市におけるIT支配の実験を大阪でやることが本筋です。吉村知事が出馬した時の公約に「スマートシティ」がありました。

前田――スーパーシティではなく、スマートシティですか。先ほどの永山参事官の話が「Super

city/ Smart city OSAKA」でした。

斎藤——似たような話ですが若干異なる面があります。スマートシティは福島県の会津若松市で実験していました。その地域では省エネを実現するためにスマートグリッド（電力需要・供給最適化送電網）を整備して、電力の安定かつ効率的な配給を図るという。吉村の公約に書かれていたので、当選後、スマートシティ戦略室といった組織を設置しました。そこにＩＢＭの社員が乗り込んできて、やがてスーパーシティになったという流れ。大阪府がそう説明しています。

情報隠しと報道統制

前田——菅政権になり情報公開のありかたについても疑念が広がっています。モリ・カケ・サクラの再調査には官房長官時代から否定的な発言を繰り返してきました。首相就任直後に、ジャパンライフの山口会長が逮捕。山口会長が桜を見る会に招待されたことを利用してオーナー商法で被害を拡大していったことが話題になりましたが、菅首相は再調査を否定しています。サクラ疑惑は菅官房長官の責任をも追及するべき疑惑だったのではないかと思います。

斎藤——もうまともな情報公開は一切ないと見ておいたほうがいい。サクラ疑惑の再調査をしないなんて、本来ならそれだけで内閣が潰れなくてはおかしい問題です。

前田——政治家もマスコミも、形だけの批判しかしないように見えます。

斎藤——ジャパンライフのマルチ商法はずっと以前から有名でした。昨日今日の話ではなく、ジャパンライフが登場したのはおそらく1980年代くらいです。私も週刊誌記者の頃に少し調べたことがあります。山口会長について『マルチ・ナンバーワン』という本が出ていました。それほどの札付きで桜を見る会に山口会長を呼んだこと自体、異常なことです。

山口会長が逮捕されたのは、安倍政権が終わったから間隙を縫って逮捕したのかもしれません。捜査当局のエクスキューズとして。サクラ疑惑、特に宏池会の自民党政治家や、警察官僚とのズブズブの関係は政財界の薄汚さの象徴だったのです。それがいまだに続いていたとは。徹底的に調査しなければならないのに、うやむやにしようとしている。菅官房長官がかかわっていたから、調査しない。加藤勝信官房長官は、山口会長とのツーショット写真をジャパンライフの宣伝に利用されて、それが国会でも取り上げられていました。調査しないというのは、今後も都合の悪いことは調査も情報公開もしないということです。

前田――安倍政権の負の遺産と言われますが、サクラの場合、官房長官の責任のほうが大きいのではないかと思います。菅官房長官と、山口会長から紹介された反社会勢力とみられる人物とのツーショット写真も発覚しました。

斎藤――安倍と菅とどちらの責任なのかわかりませんけれど、メディアも一体となって隠蔽しようとしています。菅の好物がホテルニューオータニのコーヒーショップ「SATSUKI」の特製パンケーキだなどと報じています。「低温で10分かけてじっくり焼き上げてあり、ふわふわした触感が楽しめる」などと書いている（時事通信9月11日配信記事）。どうかしています。

前田――ニューオータニって、まさにサクラ疑惑の現場です。

斎藤――ジャーナリストは「菅さん、SATSUKIのパンケーキが好きなんですね。ニューオータニと言えば桜を見る会の」と言って追及しなければおかしい。そんなことさえやろうとしない。どれほど疑惑があっても、パンケーキでごまかしてよいことになってしまった。再調査がないだけでなく、桜を見る会の在り方を再検討するという話もなくなってしまいました。

桜を見る会そのものを今後しばらく取りやめるから、あり方の再検討も必要ないという訳です。こんな無責任なことはない。菅官房長官在任中の事件です。

前田――安倍政権時代に日本の表現の自由が大幅に後退したことは、国際的なジャーナリストの間でも常識です。国連人権理事会のデビッド・ケイ「表現の自由」特別報告者も日本の状況悪化に警鐘を鳴らしました。ますます悪化する危険性があります。

斎藤――すでに悪化が深まっています。9月7日付で、自民党が新聞・通信各社に自民党総裁選の報道に注文を付ける文書を出しました。野田毅・自民党総裁選挙管理委員長の名義で、取材を規制するものではないとしながらも、記事や写真の「内容、掲載面積などについて、必ず各候補者を平等・公平に扱ってくださるよう」お願いするという文書です。

前田――2018年の総裁選でも自民党はメディアに同じ注文を付けました。

斎藤――こういうやり方の報道統制は、2014年の衆議院選挙が最初です。在京テレビ各局に報道の公平性確保を求める文書を出して話題になりました。

恣意的な報道が許されないのは当たり前です。しかしジャーナリズムは単なる伝言板ではありません。政府や政党の広報誌ではない。場合によってはジャーナリズムの誇りに賭けて、事実に迫り、一般的な原則を逸脱してでも報道しなければならないことがあります。

前田——自民党から公平報道を要請されてしまうメディアというのもどうしたものかと。

斎藤——事実、野田毅文書が出されたことを報道したのも東京新聞と共同通信だけでした。共同通信の配信をもとに地方紙もいくつか書いていました。が、全国紙やＴＶなど、圧倒的多数のメディアは自民党の強権とメディア支配に慣れきって読者や視聴者に何も伝えません。

前田——自民党に舐められている。右を向けと言えば右を向くと思われている。

斎藤——ここまでくると、自民党の文書にも一理あると言えてしまうのかもしれません。なにしろ、総裁選報道を見れば、新聞もテレビも一斉に、自主的に菅礼讃に励んだからです。

前田——「内容、掲載面積などについて、必ず各候補者を平等・公平に扱ってくださるよう」

という自民党の要請が、逆の意味で、守られなかった。メディアの安倍賛美、菅翼賛報道は、世論調査結果に見事に反映しました。

斎藤――安倍政権の支持率は、新型コロナ対策の不手際で30％台に急降下したのに、8月末から9月初旬にかけ、共同通信で56・9％、読売新聞で52％、毎日新聞で50％にまで上昇しました。

前田――2020年6月に、産経新聞とFNNの世論調査が捏造だったことが発覚しました。世論調査の信用性には大いに疑問がありますが、それにしても一斉に20ポイントも上昇したのは、翼賛報道のためでしょう。

菅政権発足時の世論調査も各社とも60％、さらには75％近くの数値を出しています。政権発足時には「ご祝儀」で数値が高くなるのはいつものことですが、特に期待させるパフォーマンスがあったわけではなく、メディアによる翼賛だけが突出したのが実情です。

菅外交の行方

前田――9月20日、菅首相はトランプ大統領と電話会談しましたが、発表内容はほとんど無内容です。11月の大統領選に向けての選挙戦のさなかにトランプ候補との親密さをアピールすることはリスクを伴います。トランプであれバイデンであれ「日米同盟に変わりなし」という考えかもしれません。外交は完全に安倍政権の継承と見てよいでしょうか。

斎藤——バイデンが大統領になったからと言って、すぐに大きな変化はないでしょう。アメリカにとって日本ほど便利な国はないので、バイデンとしても従来通り日本との関係を続けたい。

前田——在日米軍基地の利用、思いやり予算、そして日本政府に武器を売りつける。

斎藤——日米同盟の基軸に変化はありません。ただ、こと戦争については共和党と民主党に大きな違いはない。むしろ民主党のほうが「世界の警察官」として振舞いたがるところがあります。沖縄をアジア戦略、ひいては世界の警察活動に利用するという意識は民主党に強くて、トランプにはさほど強くない。駐留してやっているのだからお金を払えという話が出てくる由縁です。民主党だと穏健に見えたオバマ政権でさえ、軍事的に世界の覇権を維持するために沖縄は要石だという考えになるので、米軍基地をタダで使えることが最大の眼目になります。

前田――昔はよく、世間では共和党が好戦的と誤解されているが、実は民主党政権の時に戦争が始まる、という言い方がされました。アフガン戦争やイラク戦争をはじめたジョージ・ブッシュ・ジュニアの時は別として、共和党と民主党の違いということではない。

斎藤――戦争という点ではそうですね。「ヒラリー・クリントンはウオール街の回し者だ」という言い方があって、それなりに正鵠を得る表現でした。戦争にしても差別にしても、どこかで経済と結びついていくので、ウオール街の怖さを見ておく必要があります。もちろんだからトランプがいいということにはならない。極端な差別主義者なのでそれが内外に悪影響を及ぼす。戦争の引き金にもなりかねません。

前田――黒人差別が「内戦状態」をもたらす。2020年のアメリカは、新型コロナ禍、黒人差別に抗議するBLM運動、大統領選の大混乱、すべてトランプがらみになっています。

日米同盟における自衛隊

前田――安倍首相の構想では、東京オリンピック・パラリンピックを開催して、「新しい憲法が施行される年」にするはずだった2020年でした。それが実現できなかったことが安倍首相にとってはダメージだったのでしょう。ところが、潰瘍性大腸炎が悪化したと言いながら、辞任表明後は「敵基地攻撃論」を持ち出すなど、却って元気になったようにも見えました。

斎藤――辞任した後、ステーキを食べたなんて自慢していますね。辞任しなくてはいけないほどの病気だったはずなのに、辞任するやステーキです。いい気なものだ。

前田――病気辞任論で同情まで集めておいて、と思います。

斎藤――トランプとの関係でも差別主義者同士で仲がよくて、気が合うのでしょうが、安倍流の外交路線ですと、民主党のほうが都合がいいはずですよ。アメリカが世界の警察官として大々的に振舞ってくれるほうが。これ以上アメリカの若者の血を流すとなれば、じゃあ代わりに日本の若者に行ってもらおうという話になる。安倍にとってこんなにありがたいことはない。

前田――その意味ではバイデンが大統領になったほうが安倍は再登板しやすくなる。

斎藤――ここはもう少し取材しないと確たることは言えませんが、一つの例を思い出しました。２０１３年に日本経済新聞とアメリカのＣＳＩＳ（国際戦略問題研究所）の共同シンポジウムがありました。毎年、東京で開催されていますが、この時は政治学者の北岡伸一（東京大学名誉教授）、それから自民防衛族の岩屋毅（後に防衛大臣）、そして当時は民主党の長島昭久（衆議院議員）が参加していました。長島は現在は自由民主党です。アメリカ側は、ブッシュ政権国務副長官だったリチャード・アーミテージ、カーター政権国務副次官やクリントン政権国防次官補などを歴任したジョセフ・ナイ、政治学者のマイケル・グリーン（ジョージタウン大学准教授）などジャパン・ハンドラーたちが来ていました。

前田――アーミテージ、ナイ、グリーン、いつもの顔ぶれですね。

斎藤――そこで長島昭久が言ったことが、彼らの考え方をよく示しています。「アメリカには世界の警察官でいてもらわないと困る。そしてアメリカの国内世論が内向きになってきた今こそ日本の出番だ」という趣旨のことを述べていました。アメリカが世界の覇者であるが、国内的事情で以前ほど軍事力の海外展開に力を入れられなくなったので、日本が一部肩代わりする形で、自衛隊を世界中で動かすことができるという意味です。そこでマイケル・グリーンだったと記憶していますが「太平洋陸軍の司令官はアメリカ人だが、副司令官はオーストラリア人である。いずれ副司令官に日本人が就任して、太平洋陸軍の基地に日の丸を掲げてもらいたい」という発言をしていました。長島の「アメリカ民主党的な部分」です。世界の警察官の下支えをいままで以上に強力な立場にする。そういう状況があれば、日本の「憲法改正」もやり易い。安倍がいくら憲法改正を叫んでも、他方でアメリカには例の「瓶の蓋論」があるので、日本の軍事力強化には神経をとがらせる論者もいます。日本がアメリカを助ける、アメリカの手の足りないところを補うというシチュエーションが改憲派にとっては必要なのです。

前田――「瓶の蓋論」は、日本が昔のように軍事的に暴走すると困るから、在日米軍を置いておくという議論です。アジアに対する「説明」として利用されてきました。

斎藤――トランプ政権はあまりにも差別的であり、アメリカ国内の分断を招き、世界の分断にもつながる危険な存在ですが、こと日米軍事同盟という点では、トランプのほうがまだしも「安全」、ということになってしまうようです。

政治腐敗とアベスガ

前田――一部メディアでは、贈賄罪で逮捕されて裁判が始まった河合克行前法相、河合案里参院議員に自民党が提供したとされる1億5000万円のうち半額を自民党に持ち帰ったのではないかという情報が出ています。賭けマージャンの黒川弘務検事長失脚と、1億5000万円問題が安倍辞任につながったとの見方もあります。

斎藤――お金がどう動いたのか、金額とかはわかりませんが、河合夫妻事件は安倍の筋で、本体は自民党本部問題であって、河合は悪くないという見方もあります。

前田――党からお金が出たわけですから、二階幹事長が責任者です。億単位のお金ですから、やはり総裁と幹事長以外に責任者はありえない。

斎藤――広島の選挙区の問題で対立候補を潰すために安倍と二階が動いたという筋はかなり強いでしょう。今回、安倍辞任、河合問題と関連するのではないかと推測されている通りです。

前田――河合問題と黒川辞職によって、追い詰められて首相を辞任した面もある。

斎藤——どれか一つでなくサクラも河合問題もすべてうやむやにしたいということでしょう。

前田——辞任した安倍としても後任が菅だと安心できる。「アベノマスク」と揶揄されたマスク問題でも不正疑惑の臭いがふんぷんとしています。

9月25日、情報公開の専門家である上脇博之（神戸学院大学教授）が、アベノマスクについて業者に発注した枚数と単価が不開示になったとして、開示請求訴訟を大阪地裁に起こしました。

学術会議任命問題では、法律に基づいて任命しなかったと言ってみたり、前例を踏襲しないことにしたという。名簿のリストを見ていないと言ったかと思うと、選任が旧帝国大学に偏っていると主張しながら、旧帝国大学以外の候補者を任命拒否するなど、ちぐはぐが目立ちました。矛盾を指摘されてもまともに回答できず、支離滅裂です。力づくで押し通すことしか考えていません。

アベコベ政権では、何をやっても虚偽と隠蔽と改竄と不祥事の疑念が付きまといました。アベスガ政権は虚偽と隠蔽と改竄と不祥事を完璧に継承しています。

第2章 新型コロナの時代
――さらに加速する監視社会化

虚妄の日本モデル

前田――2020年は新型コロナ禍のため日本社会は深刻な状況に陥りました。5月25日に緊急事態宣言が解除されました。しかし、7月末から再び感染が増加し、8～9月には第2波が襲ってきました。8月19日、舘田一博日本感染症学会理事長が「日本は第2波のまっただ中にいる」と発言しましたが、厚生労働省も西村康稔経済再生担当大臣も「第2波の定義はない」などと異常なことを言って、第2波と認めないまま経済活動の再開に前のめりでした。

斎藤――問題はあまりにも多岐にわたっていますが、今回、何よりもはっきりしたのは、この国の政治と官僚機構の「無能さ」だと考えます。安倍晋三首相は緊急事態宣言の解除を発表した記者会見で、日本のコロナ感染者や死者数が少ないと胸を張ってみせ、「日本モデルの力を示した」「世界の感染症対策、コロナの時代の国際秩序をつくり上げていく上で強いリーダーシップを発揮していく。それが国際社会における日本の責任であると考えます」などと自画自賛しましたが、どうかしているのではないでしょうか。

確かに、公表された数字は、欧米の先進国に比べると低い数値になっているようですが、それは本当なのか。当初は37度5分以上の発熱が4日以上続いていなければ相談も受け付けないなどといった制約を課していましたし、普通の市民がPCR検査を受けることはきわめて難しい。私の知人の娘さんも、一週間も発熱があり、不安の中で泣きながら保健所に電話したのに、けんもほろろに門前払いされたと言っていました。

この間の超過死亡（例年の同じ時期より多い死者数）は、新型コロナで亡くなったとされている人の数より明らかに多い。他の要因が見つからない以上、そのかなりの部分はコロナに感染したとわからないまま、治療はもちろん、検査もしてもらえずに、不安と恐怖に苛まれたまま亡くなっていった方々ではないか。また、感染していたけれども検査されないので感染者の数にカウントされず、治療も受けられなかったが、たまたま運よく助かったという人がどれほどいたのかも、何もわからないのです。もちろん、PCR検査でなくても、他に有効な検査があればそれでも構わないのですが、報道によれば、日本の検査数はイタリアの4％でしかないのだとか。こんな〝先進国〟なんて、あり得ません。

この国の政府にとっては、権力に近くない人間の生命などどうでもよい。大切なのは国威発揚の場としての東京オリンピックの開催だけなのです。感染の規模を小さく見せることにばかり熱心で、実態を把握するつもりなどハナからありません。きちんと検査もしないで、適当に作った数字をいくら見せられたところで、信用などできるはずがないじゃないですか。実際、新型コロナ専門家会議の尾身茂副座長も、5月11日の参院予算委員会で、「(実際の感染者は)この10倍か、15倍か、20倍かというのは、今の段階ではだれにもわからない」と話していました。

前田――責任者が「どうせわからないから」という態度をとり続けています。

斎藤――単なるサンプリング調査みたいなものです。もちろん、どんなに努力したって、本当の全体像なんてわかるはずもない。諸外国のデータが正確である保障もないわけです。ただ、日本の場合は、あえて積極的にわからないようにした。これは許せません。

前田――検査数も感染者数もわからないようにして、発症者を感染者と公表しました。

斎藤――だから感染率も出せない。これでは対策の取りようがありません。諸外国との比較なんてできるはずがないんです。

前田——比較するためのデータがまったくない。

斎藤——何が「日本モデル」なものですか。安倍政権はこれまでも、統計の偽装や公文書の改竄を重ね、あるいは公の会議の議事録を残さず、つまり「政策の成果もプロセスもすべてでっち上げた上で自画自賛」を繰り返してきましたが、パンデミックにおいても同じやり方が取られたということです。まともな政府ではないのです。菅政権も同じです。

前田——今後、医療関係者がデータを積み上げて検証しないと何も言えない。

斎藤——安倍政権はとことん無能ですが、それゆえによかった部分もあるようにも思います。それは、余計なことをしなかった、あるいはできなかったこと。これまでの取材経験から、今回のコロナ禍で日本政府の悲願である監視社会への流れが一気に加速し、完成に近づけられていくことを恐れているのですが、今のところそこまでの事態には至っていない。一律10万円の給付金の申請に取得率わずか16％の〝マイナンバー〟カードを使わせて、それで暗証番号を忘れたり、入力を間違えた人が市町村の窓口に殺到して混乱するや、「今後スムーズに支給するために」と預貯金と〝マイナンバー〟のひも付けを急いだりしましたが、中国や韓国のようにはできていません。

前田――なるほど、新型コロナを抑え込むために一気にラディカルな対策はとれない。

斎藤――何よりも、彼らの無能ゆえです。ただ、それだけ日本には民主主義が根付いているという皮肉も成立するかもしれません。

前田――欧州諸国のように正面から法的措置を取れれば、その善し悪しを比較できます。イタリア、フランス、スペイン、イギリスと、春には厳しい法的措置を講じざるを得ませんでした。第2波も襲来して、イギリスは9月以降ふたたび緊急事態になっています。世界的には、9月29日についに死者が100万人を超えました。アメリカ、ブラジル、インド、メキシコ、イギリスが上位5か国です。

斎藤――実際イタリアでもフランスでもたくさん死者が出ています。都市封鎖がどこまで効果があったのか、それすらまだわからない。これからだって、さらなる感染拡大があるかもしれない。因果関係が証明されないことには、具体的な議論はできません。

わからない効果に賭けて監視社会化を進めることは、失うものが多すぎる。だから、せいぜい「自粛」という形で進めるしかなかった。市民の側としたら、お上に言われたからではなく、一人ひとりがそれぞれの価値観に従って行動すればいい。言ってみれば自由なわけです。強権的な都市封鎖などよりはこのほうがずっといいと私は思ってしまうのですが、考えてみると、このような形になるのは、日本社会の同調圧力の強さゆえではないのか。たいがいの人がお上に従順だから、政府としては補償の責任が伴うやり方を採る必要がないとも言えます。

医療システム崩壊

前田——何が本当かわからないのに、「日本人はよく手を洗うからだ」とか、中には「BCGのおかげだ」など、いろいろ言われて振り回される。「みんな率先して自粛して、日本が一つになった」などと言い出す。

斎藤——「ファクターX」ですね。ノーベル賞の山中伸弥先生が言い出した話ですから、何かあるのだろうとは思いますが、議論の前提になるデータが存在しないし、肝心の政府にも取る気がないので、何でも言えてしまいます。巷で流布されている推測の大半は、みんなが思い付きで「日本人の特性」とか言っている。

前田――そこがきちんと問われないといけない。SARSやMERSといった呼吸器症候群の大流行時以来の政策展開ですよね。

斎藤――1990年代以降、保健所の数をどんどん減らしてきた。保健所の数は2019年時点で全国にわずか472カ所しかないんです。

前田――基礎自治体の数より少ない。

斎藤――市町村の数は現在1724ですから、3割以下ですね。まるっきり少ない。90年代前半はそれでも850カ所以上あったんですよ。保健所再編で半分に減らされた。それから、1996年には9716床あった感染症病床が、2019年は1758床です。2割以下になっているんですね。新自由主義に基づく構造改革でどんどん切り捨てが進みました。人口10万人当たりのICU（集中治療室）のベッド数も、日本は7・3床で、たとえば米国の34・7床の5

分の1ほどしかありません。ヨーロッパ各国と比べても、日本は異様に少ないのです。さらには公立病院、公的な病院の数を4分の1に統廃合するという方針が昨年秋に示されていたのですが、このコロナ禍にあっても加藤勝信厚労大臣は国会でこの計画を変えないと表明しています。何もかもがビジネス最優先で、近年は医療についても生産性のなくなった病人には延命治療を避け、さっさと〝死なせる医療〟にばかり熱心なのがこの国の政府です。国民の生命を守る姿勢なんてまるでない。

前田——医療の公共性を忘れて、ビジネスに丸投げしている。

斎藤——今、長崎大学医学部にBSL—4（バイオ・セーフティ・レベル4）の研究施設を開設する計画が進行しています。今回のコロナ禍以前から、経済のグローバル化に伴い、感染症の拡大が予想されるので、その対策の拠点とするためだとされているのですが、立地はなんと市街地の真ん中です。長崎大学坂本キャンパス、大学病院のすぐそばで、100メートルも歩くとマンションや住宅が建ち並んでいる。万が一にも研究中のウイルスが漏れ出しでもしたら、どうするのでしょう。新型コロナでも、武漢ウィルス研究所でそういう情報がありました。

この計画は長崎大学という大学の性格を想起させます。鎖国下の江戸時代から外に開かれていた長崎という都市は、それだけにコレラや天然痘などの侵入経路となり、結果として日本における西洋医学の診療所の発祥の地となりました。やがて長崎大学の前身となる長崎医科大学が誕生し、日中戦争のさ中には東亜風土病研究所が創設されるのですが、ここはあの731部隊と深い関係があったのです。

前田――731部隊ですか。石井四郎を部隊長として、中国ハルピン郊外に設置された巨大な軍医学研究施設です。全国から優秀な医学者を集めて、細菌研究、凍傷実験、毒ガス実験などを行いました。その際、膨大な人々を生体実験して死に追いやったと言います。

斎藤――長崎大学は地方の医科大学では最も密接だったと言われている。1988年から92年にかけて長崎大学の学長を務め、反核運動でも有名だった故・土山秀夫氏が助教授時代の先輩に聞いた体験談を書いた文章も残されています。戦後の1960年代に東亜風土病研究所改め風土病研究所の所長となり、80年から84年にかけて学長にも就任した故・福見秀雄氏も731の関係者でした。ちなみに、福見氏は「学童防波堤論」を提唱してインフルエンザワクチンの集団接種を推進した人物でもあります。社会防衛のみを重んじて個人の生命や健康を軽視したせいで副作用禍がひどく、80年代後半以降は集団接種が禁じられた経緯は、よく知られている通りです。ちなみに、2011年3月に福島第一原発の事故が発生した際、「福島という名前は世界中に知れ渡ります。もう、広島、長崎は負けた。ピンチはチャンス」とか、「放射能の影響は、実はニコニコ笑ってる人には来ません。クヨクヨしてる人に来ます」などと発言して顰蹙《ひんしゅく》を買った山下俊一・長崎大学教授（当時、内分泌学）は、この福見氏の愛弟子です。

長崎大学のBSL―4施設にはもうひとつ、長崎出身で、安倍晋三首相の取り巻き財界人の一人でもある富士写真フイルムの古森重隆会長が関わっている。新型コロナの特効薬にできるのではないかと言われる抗インフルエンザ薬「アビガン」の製造元ですね。このBSL―4施設はいずれ民間の資金も受け入れて拡張されるはずですが、その際、最有力なのは富士フイルムでしょう。長崎大学とはすでに他の領域でも技術提携契約を結んでいる関係ですし。また、これも長崎大学の関係者に聞いた話ですが、「アビガン」は数年前も、エボラ出血熱に効くのではないかというので、米国の海兵隊に300人分を届けたことがあったとか。有効性を確立するところまではいかなかったそうですが……。昔は「お正月を写そう」のCMが楽しかった富士フイルムですが、安倍首相とのつながりがあると、なんだかキナ臭くなってきますね。

前田――保健所を減らし、総合病院を統廃合してきたのは、財政的には新自由主義の発想が強いのでしょう。口実としては、高度成長以後の日本社会は一定の衛生水準を確保できているから、感染症対策もそれなりに大丈夫なのだという話でしょうか。

斎藤——そういう理屈なのでしょうね。

前田——ところが今の感染症対策は、重要性や緊急性を考えると素人目にも十分できていない。

斎藤——国民の生命や健康を守るなどという発想は、現政権には初めから存在しません。税金イコール自分のカネ、俺のカネを無駄遣いする病人などさっさと死んでしまえとしか思っていないから、治療の水準を平気で下げてしまう暴挙も簡単にできる。実際、麻生太郎副首相兼財務相が本音を隠そうともせず、何度もその手の暴言を吐いてきたではないですか。

前田——何をする気なのかも分からない。そもそも新型コロナのPCR検査もきちんとしない。

斎藤——感染者数が毎日発表されているけど、あれもいったい何の数字を発表しているのかすら疑問です。医療崩壊を防ぐという名目で、検査を抑制した。検査をしない、感染者でないという扱いをし、入院もさせないから、医療以前に人間のほうが崩壊させられてしまった。

前田——新型コロナ患者による医療崩壊の前に、システムとしての医療が崩壊していた。

斎藤——予算を削って積極的に医療システムを崩壊させてきたところに新型コロナ事態がやってきた。そのことが問題なのに、あたかも新型コロナのために初めて医療崩壊が起きたかのように言っています。ジャーナリズムも本気では追及しない。

相互監視社会化

前田——相互監視社会問題についてもう少し敷衍していただけますか。

斎藤——今起きている現象が相互監視社会そのものだと思います。ファシズム化の兆候も強まっていますが、まだこの程度でとどまっているとも言える。私は正直、もっとひどいことになるのではないかと恐れていました。危惧が消えうせたわけではありませんが。

前田——まだこの程度というのは、政府や知事からの自粛要請の下、「自粛警察」と呼ばれる現象が一部に起きたものの、全体化はしていない点でしょうか。

斎藤――マスク警察、ＳＤ（ソーシャル・ディスタンス）警察なんていうのもあるそうです。張り紙をしたり、ネット上で非難したり、マスクをしていない人や、他人との距離が近い人に絡んだり……。それでも、まだ今のところ、一部の人たちの行為にとどまっているのが救いといえば救いですが。

前田――「一部のやりすぎ」という指摘がなされている状態ではある。となると、これでうまくいったという論調につながるかもしれません。みんなで自主的に監視社会を強化したことによって、新型コロナの影響を抑制できたという言い方です。

斎藤――事実関係が分からないわけです。何がうまくいったのか、いっていないのか、データがないし、因果関係も不明のまま、それぞれ都合のいいことを言っているに過ぎない。にもかかわらず、監視社会だけは機能する。

前田――隣組の静かな復活とも言えます。

斎藤——国防婦人会とかね。戦時中のそういう過去があったからなおさら、私は恐れているのです。お上の指示に従わない人間、周りと同じように行動しない人間、異端と見なされた人間を、他ならぬ市民が、同胞が、自発的に排除していく。緊急事態宣言が一か月半ほどでしたけれど、解除されたから、それ以上のことにならずに済みましたが、解除がもっと遅れていれば、自粛警察とやらも、もっともっと広がり、エスカレートしていったかもしれない。

前田——一部の人間の勘違い行為を行政が利用する。

斎藤——東京在住の女性がPCR検査を受けた段階で山梨県の実家に帰省して、感染が判明してから東京に戻ったという話がありましたね。この女性の行動経過を、山梨県庁がわざわざ発表した。そんなことを発表すれば、火に油を注ぐようなものです。たちまち個人を特定しよう、さらし者にしてやれと動き出す手合いがそこら中にでてくる。犯人探しが始まる。それをNHKが大喜びで報道する。「こんな悪い奴がいるぞ。みんなで追い詰めろ、逃がすんじゃないぞ」と言わんばかりに。行政がやらせているようなものです。どこまで自覚的なのかはわかりませんが、この国ではそうなることがわかりきっているでしょうに。

前田——どういう情報を何のために発表するのか。

斎藤——女性の行動経過を発表して、接触した可能性のある人は届け出てください、すぐに検査して、容態によっては入院できますよと、そういう態勢が整っているのなら発表する意味も一定程度はあるでしょう。でも、そういう態勢なんかない。報道を見て不安になった人が保健所に電話しても、どうせ門前払いにされるだけじゃないですか。だから憎悪ばかりが煽られる。

前田——安倍首相の「悪評3点セット」は厳しく批判されたというか、みんな呆れました。3点セットは、30万円の支給問題、安倍のマスク2枚（しかも、なかなか届かない）、及び星野源の歌「うちで踊ろう」に合わせた安倍首相自宅くつろぎ写真です。

斎藤——「アベノマスク」は、いつまで経っても届かない人もいました。わが家には割と早くに届きましたが、小さすぎて使えません。ゴミだの虫だのが入っていて、不潔で使えないという声もたくさんあります。何なんですかね、これ。まともな社会だとはとても思えません。一つひとつの話は本当にくだらない。だけど、それこそ神は細部に宿るというか、こういうところに現体制の本質が象徴的に現われている。何が大事なのかを、まったくわかろうとしない。わかっていないことを自分でわざわざ宣伝し、露呈してしまっている。

「自粛警察」に関係してもう一つ。私は、東京都千代田区が全国に先駆けて路上喫煙禁止の条例を施行した2000年代の初めに、神田の駅前で、ちょっとした実験を試みたことがあるんです。いつもは吸わないタバコをわざと、区と警察と町内会の合同パトロールがあるとわかっている時間に吸ってみる、というもの。それで、おそるおそる火をつけた瞬間、黄緑色のユニフォーム集団に取り囲まれてしまった。「今日は警察の方々もお見えだ。あんた、どこから来た人間か知らないが、千代田区に来たら千代田区の掟に従ってもらおうじゃあねえか」。町内会の幹部が、ほとんど恫っ引きになっていました。ある程度は予想してやってみた実験ですが、権力の切れ端を与えられた人々は、こうまで居丈高になれるものかと驚かされました。この国で戦争が始まったら、もう国家権力なんて出るまでもない、無条件に服従しない者たちは、たちまち村八分にされ、下手をしたら隣近所でリンチにあい虐殺されかねないじゃないですか。

安倍流「帝国主義宣言」

前田――4月7日の緊急事態宣言の時、安倍首相の記者会見に、政治家としての自覚やプライドがないというか、責任感がないというか。ドイツのメルケル首相は「民主主義」を語ったのですが、それは政治家としての基本認識ですし、ドイツ国民に民主主義を語ればきちんと伝わるのだと判断している。自国民に向けて政治家としての矜持をもって語る。

斎藤――3月18日のあれですね。「この試練の克服を、すべての国民が誠実に自身の任務だと考えるなら、それは可能だと私は確信しています。だからこそ、この問題は深刻だと述べさせてください。そして深刻に受け止めてください。東西ドイツ再統合以来、いや、第2次世界大戦以来、私たちの国にとって、連帯の精神をもって行動することがこれほど重要な挑戦はありませんでした」という。民主主義もですが、本当の「安全保障」とは何なのか、という命題にも気づかせてくれた。

安倍首相にそういう意味での矜持はありません。彼の頭にあるのは個人的な野心だけで、それ以外の何事かを語らなければならない場面では、官僚が書いた作文をそのまま読むだけです。

前田――アメリカのトランプ大統領にしても、問題はたくさんあって困りものですが、いざという時に「私は戦時の大統領だ」と述べて、新型コロナ対策の緊急重大性を説きました。「戦時」という喩えの当否は別として、大統領としての責任をいちおう語っている。もちろん、初動対応の不手際をごまかそうとした面もあります。フランスのマクロン大統領も、歴史的事件に遭遇した大統領としての所見を語りました。イギリスのジョンソン首相は、自分が感染したこともあって、復帰後の毅然とした態度と、国民へのメッセージには迫力がありました。

斎藤——政治家というのはみんな、何かあるとすぐに戦争に喩えたがりますね。ハリウッド映画のヒーローにでもなった気がして、嬉しいんだろうか。いや、戦争なんだから人権だの財産だのぐずぐすいうな、国家の一大事だ、お前らは俺のいうことを聞いていればいいんだと言いたいだけかな。日本でも大阪市長だった橋下徹氏あたりが、やたら戦争だ、戦争だと騒いでいましたね。ジャーナリストの田原総一朗さんのコラムに、安倍さんが「このコロナウイルス拡大こそ、第3次世界大戦だと認識している」と語ったと書いてありました。あの人は大災害があるたびに政治利用することばかりを繰り返してきた。頭の中にあるのは、いかにして新型コロナという緊急事態を憲法改正に結び付けるか、それから東京オリンピック・パラリンピックを盛り上げ、世界史的な意義があるかのように演出することだけでしょう。後者については、3月に2021年夏への延期が決まった時も、5月にIOCのバッハ会長が中止もあり得ると示唆した時も、重ねて「人類が新型コロナウイルス感染症に打ち勝った証として、完全な形で東京五輪・パラリンピックを開催する」のだと胸を張っていました。

前田——9月に政権を発足させた菅首相も、同じ発言を繰り返しました。オリンピック委員会も9月末に新しい聖火リレーのコースを発表して、とにかく実施に向けて必死のようです。

斎藤——今でもそれが最優先です。

前田——安倍首相や小池都知事ばかりか、メディアもTOKYO2020報道に熱中しました。

斎藤——オリンピックを開催することが何よりも大事で、すべての政策はそこから導かれる。だから感染者数を増やしたくない一心で新型コロナのPCR検査を避け、多くの人々を生贄にしたとしか見えません。延期されたらされたで、翌年開催だけは強行したいと、感染者数を少なく見せかけることに血道を上げ続けている。

日本だけ検査をせずにいたところで、世界規模での終息、安全なワクチンの普及がなければ、オリンピックどころではない。そうなっていない状況で開催すれば、東京に何度目かの感染拡大の波をつくり出し、世界にまた拡散させていくだけの結果を招くでしょう。

馬鹿げた政治のチェック機能を果たすのが責務であるべきマスメディアも、朝日、読売、毎日、日経の大手全国紙4紙からしてJOCとオフィシャル・パートナー契約を結んだ。報道機関であることを放棄して五輪商売の当事者になってしまっているのですから、話にもならない。2013年に東京招致が決まる以前から、トラブルや問題点があってもメディアは黙殺して市民を欺き続けてきました。この期に及んでオリンピック第一だとは、呆れてものも言えません。

前田――安倍首相を支えるスタッフ、官僚たちが具体的に何をどのように判断し、動いたのか。正確な情報が表に出ていないので、よくわからないのですが、スタッフはいったい何を考えていたのか。信じがたい無能集団、「反知性主義の権化」にしか見えない。

斎藤――安倍政権はいわば「帝国主義」を目指してきたわけです。〝TOKYO2020〟とやらを一種の「帝国主義宣言」の晴れ舞台に仕立てるつもりだった。だから17年の憲法記念日に読売新聞の単独インタビューで「2020年に改正憲法を施行したい」と明言したのだし、自衛隊を「国防軍」と明確な軍隊組織に改組し、〝国際社会の平和と安全を確保するために国際的に協調して行われる活動〟、ということは事実上、アメリカの戦争への参戦に道を開く新9条案が盛り込まれている12年の自民党改憲案をとりあえず措いて、現行の9条に自衛隊の存在を書き込むだけだとさえ言い出した。集団的自衛権の行使容認を前提とする安全保障法制まで施行されてしまっている現在、自衛隊違憲論はもちろん、あらゆる反戦運動を憲法違反呼ばわりして取り締まることを可能にする〝新〟解釈だって当然、彼らにとっては視野に入っている。

前田――自衛隊加憲論は公明党が主張していました。12年の自民党改憲案では公明党の賛成を得られない。そこで公明党にすり寄る形で「実質」を取ろうとした。それならば早く改憲ができると踏んで、ＴＯＫＹＯ２０２０と改憲をセットにした。

斎藤――露骨というか、因果関係は明白でした。

前田――そこに重なったのが２０１９年の天皇代替りでした。

斎藤――その前の２０１８年に「明治１５０年」があり、25年には大阪万博が開催される。天皇代替りは初めから予定されてはいなかったでしょうが、少なくとも結果的にはこの間に入った。さらには27年のリニア中央新幹線の開業があります。これもコロナで難しくなりましたが、土砂の問題をはじめ、問題だらけなのに、無理やり強行する手はずでした。私は地下にトンネルを掘られる地元でのＪＲ東海の説明会を覗いたことがありますが、とんでもなくひどいものでした。反対意見や疑問の声には何も答えないのですから。

前田――さらに2030年に札幌オリンピックという話です。

斎藤――どこかで見た光景ですよね。1960年代から70年代にかけて、ミッチー・ブーム（1960年）、日米安保改定（60年）、東京オリンピック（64年）、東海道新幹線開業（64年）、明治100年（68年）、大阪万博（70年）、札幌オリンピック（72年）……。高度経済成長の過程で次々に放たれた国策メディア・イベントの数々をぜんぶ繰り返そうとしている。どれも当時からたくさんの問題が山積みで、さまざまな意味での犠牲者を生んで、それでもほとんどは無視されたまま今日に至っています。反省とか教訓といったものは何も残されていない。

前田――日本が第2次大戦の敗北から立ち直って国際社会に復帰するとともに高度経済成長路線を確実にする。その中で公害や自動車普及による「交通戦争」のような矛盾が噴出した。とはいえ、戦後のどん底から立ち直ろうと懸命になっていた市民にとってはよき思い出でもある。

斎藤――映画の「ALWAYS 三丁目の夕日」みたいな。高度成長そのものが朝鮮戦争による朝鮮特需や、ベトナム戦争によるベトナム特需の〝おかげ〟で成し遂げられたわけですが、そこはまったく顧みられない。日本人は勤勉で有能だから成長したんだ、と自画自賛するばかり。「プロジェクトX」ですね。「戦後のどん底から……」という庶民感情を全否定はできないとも思いますが、現在はそんな意味もかけらもない。落ち目の国による、見せかけだけの「国威発揚」。それ以上には何の目的もない。強がってみせられるところがあるとすれば、改憲で9条の制約から〝解き放たれ〟、世界最強のアメリカと一緒に戦争ができる体制を整えた、日本はスゴイんだぞ！という一点のみ。「帝国主義宣言」だと言ったのはここのところです。

前田――「コバンザメ帝国主義宣言」です。

惨事便乗資本主義と祝賀資本主義

前田――1990年代の「失われた10年」以来、経済が停滞し、いわゆる先進諸国の中でトップクラスからずり落ちてきた。

斎藤――日本にはもともと国際政治における独自の発言力など皆無です。核兵器禁止条約に参加するどころか、反対してしまうのですから。日本の存在は、アメリカの票を一つ増やしている以上の意味がありません。経済が持ち直す見込みもない。だけど安倍首相は大国の指導者然と振舞いたい。中身なんかどうでもいいのです。オリンピック招致について、対外的な面では、それ以外のことは考えていなかった。ブエノスアイレスでのIOC総会でのプレゼンテーションでも、嘘ばっかりついていた。福島は〝アンダーコントロール〟だとかなんとか。

前田――2019年の天皇代替りがいちおう「スムーズ」にいきました。平成天皇から令和天皇となるべき現天皇への代替り儀式を使ってナショナリズムを維持することに成功したように見える。ついでに「令和おじさん」の菅の宣伝もできました。反対運動があったけれども何とか抑え込んだ。消費税増税も押し切った。メディアはひたすら翼賛に励んだ。

斎藤――不安定要因はあっても、「安倍一強」体制で乗り切れると踏んだのでしょう。マスメディアのタイコモチぶりも、堕ちるところまで堕ちてしまいました。

前田――それが思いがけず、新型コロナにぶち当たってしまった。TOKYO2020にかけて、新型コロナ対策に後れを取ったので、途中から懸命に対策をとっているふりはした。その中で、ナオミ・クラインが『ショック・ドクトリン――惨事便乗型資本主義の正体を暴く』（岩波書店）で、「惨事便乗型資本主義」と呼んだように、次の手を懸命に模索している。

斎藤――大震災や台風などの惨事に見舞われ、人々の頭の中が真っ白になっているドサクサをついて、普通ならとても実現不能な無理無体を通してしまう卑劣なやり方は、昔から珍しくもありませんが、今回もまたそのパターンですね。大災害ほど巨大資本が喜ぶものはありません。

前田――復興ビジネスに土建業界が群がる。被災者支援も医療ビジネスに取り込まれる。

斎藤――惨事を資本の栄養分にしていく。それが常態化していくと、惨事を期待することになります。今回の場合は新たな建設需要を喚起する形にはならないし、ＩＭＦ（国際通貨基金）がいうように「１９２９年の〝大恐慌〟以来の世界同時不況」という側面もありますが、同時に「新しい生活様式」だの「ニューノーマル」と呼ばれる生き方への誘導が一気に進められている。今後は雇用や勤務形態のあり方が大きく変えられ、中小零細企業の淘汰、キャッシュレス化およびこれに伴う監視社会が深化するなどして、個人一人ひとりの不幸がすなわち巨大資本にとっての〝チャンス〟に回収されてしまう実態が浮き彫りになっていくでしょう。

前田――惨事待望資本主義です。鵜飼哲（一橋大学名誉教授）が『まつろわぬ者たちの祭り』（インパクト出版会）で、「日本型祝賀資本主義」と呼んでいます。さまざまなイベントを国威発揚に利用し、資本主義の発展につなげる。「イベント資本主義」とでも言いますか、国家丸抱えで、国家と資本が抱き合い、絡み合って、遮二無二突進していく。イベント中心で国威発揚を図る「祝賀資本主義」と、ナオミ・クラインがいう「惨事便乗型資本主義」は同根だと思います。

斎藤――ナショナリズムに訴えて、社会を統合し、一丸となって進むというのは同じです。

緊急事態を口実とした改憲策動

前田――国家緊急事態宣言のような改憲に繋げたいという動きがありました。

斎藤――コロナ禍ただ中5月3日の憲法記念日、日本会議系の改憲団体のオンライン集会に安倍首相が寄せたビデオメッセージがとりわけ露骨でしたね。櫻井よしこ、ケント・ギルバート、百地章といった面々が集まる場で、「憲法改正への挑戦は決してたやすい道ではないが、必ずや成し遂げていく。その決意に揺らぎは全くない」と改めて強調したうえ、改正憲法に「緊急事態条項」を書き込む姿勢を以前にも増して強く打ち出し、「緊急事態の国家や国民の役割を憲法にどのように位置付けるかは極めて重く、大切な課題だと改めて認識した」と述べたのです。

あの人たちにかかったら、国民の不幸はすべて己の野望に利用する道具にされてしまう。新型コロナ対策としての緊急事態宣言が発せられたのは4月7日でしたが、安倍首相はこの時すでに、直前に開かれた衆議院の議院運営委員会で、「緊急事態を憲法にどう位置づけるかは大事な問題だ」と発言していました。「宣言」はその上でなされたわけです。改正新型インフルエンザ特措法に基づく緊急事態「宣言」と、改正憲法における緊急事態「条項」とはまるで別次元の話なのですが、あえて混同させることを狙ったのでしょう。はたしてその直後の11、12の両日に産経新聞社とFFNネットワークが実施した合同世論調査で、「憲法に緊急事態条項を入れることに賛成か、反対か」という質問に、68・5%が賛成したといいます。調査のタイミングからしてヤラセっぽい世論誘導ですけどね。

前田――それを受けて5月3日の憲法記念日の安倍首相発言になる。

斎藤――遡ると、新型コロナ禍の初期、1月末でしたが、文科大臣や財務大臣を歴任した伊吹文明が、今般の緊急事態を憲法改正の実験台にするべきだという趣旨の発言をしていました。私は新型インフルエンザ等対策特措法が制定された頃から言っていたのですが、これはもともとそのように利用するための法律なのだと考えています。こんなものをわざわざ制定しなくても、感染症対策のための私権の制限なら、感染症法や検疫法で十分に対応できた。屋上屋を重ねたのは、人々の深層心理に強い恐怖感を残していた新型インフルエンザ騒動を利用し、指定公共機関と定めたNHKに対する「必要な指示」をできるようにして、政府による報道への介入の幅を広げると同時に、同じ「緊急事態」という字面を前面に出すことによって、何か得体のしれない仮想敵に対する国民の危機意識を募らせ、機会を見てむしろ国民の側が憲法に緊急事態条項を加えることを積極的に求める演出を展開していく戦略だったのではないか。

前田――2012年の民主党政権の時代にすでに動きはじめていた。

斎藤――新型インフルエンザ等特措法が可決・成立したのは、まさに民主党政権下の2012年4月です。改憲派も珍しくなかった寄り合い所帯ですからなんとも言えませんが、彼らにはそこまでの意図はなかったかもしれない。でも、法の制定を実際にリードしたのは警察官僚でした。内閣府に出向していた警察官僚がシナリオを書いて、法案を可決した。一度政権が交代したくらいでは官僚たちと自民党との関係は変わりません。第２次安倍政権が誕生したのは同じ年の12月でしたが、今日に至るシナリオは、それ以前から準備されていたと言えます。

前田――そのままだと民主党政権がつくった法律なので、自民党政権としてはおもしろくない。

斎藤――もともと、新型インフルエンザ「等」特措法なのですから、新しい感染症が現れても、この「等」に含めてしまえば、法改正の必要などなかったのです。にもかかわらず、従来の法律のままでは対象にならないと強弁し、新型コロナウイルス対策をわざわざ書き加える形を採って、本来なら必要のない改正をした。つまり、安倍政権の法律にしたのです。

前田――「悪夢のような民主党政権」の法律は使いたくなかった。

斎藤――お坊ちゃま体質が丸出しですね。法律に限りません。民主党時代の国策「パッケージ型インフラ海外展開」を、「インフラシステム輸出」と言い換えてみたり。

前田――新型コロナ事態を口実に緊急事態宣言に話を持って行った。メディアが安易に乗っかって、混同させてきた。

斎藤――いわゆる御用新聞のたぐいは積極的に混同するよう仕向けていました。

前田――憲法学者の水島朝穂（早稲田大学教授）や石川健治（東京大学教授）がいち早く、緊急事態と言っても、両者は異なると明快に発言していました。

斎藤――最近の世論調査では、憲法改正に必ずしも支持はないようです。ＦＮＮ調査の頃よりは落ち着いたようです。両者の違いは少しずつ理解されてきたのかもしれません。

前田――緊急事態条項に緊急性がないことが理解された。

斎藤――ということだとよいのですが。

前田――一時期、緊急事態を前面に出していたのに、安倍首相の自衛隊加憲論が出てくると、緊急事態は後景に退きます。それが新型コロナの下でふたたび緊急事態の話になる。

斎藤――安倍政権も自民党も、常に突破口を探しては、改憲に持っていきたい腹だということです。利用できるネタならなんでもいい。緊急事態条項は2012年に公表された自民党憲法改正草案では、総理大臣が「外部からの武力攻撃、内乱等による社会秩序の混乱、地震等による大規模な自然災害その他」の事態において発することができ、内閣が国会審議抜きで一方的に「法律と同一の効力を有する政令を制定することができる」とか、何人も「国その他公の機関の指示に従わなければならない」などとする条文案が明記されていましたが、安倍首相が2020年東京オリンピックと同じ年の改正憲法施行を言い出し、時間の余裕がなくなってからは、出したり引っ込めたり。2018年の憲法記念日に打ち出した「改憲重点4項目」では、「大地震その他の異常かつ大規模な災害により、国会による法律の制定を待ついとまがないと認める特別の事情があるとき」に、内閣が「国民の生命、身体及び財産を保護するため、政令を制定することができる」などというふうに、「武力攻撃」の用語を省いたり、表現をかなり和らげています。いかにも軍事独裁政権を連想させる自民党草案と比較して、これぐらいだったら大丈夫かな、と受け止める有権者も少なくないかもしれません。だけど、所詮は言葉の遊び。現行憲法9条の下でも集団的自衛権の行使を容認し、アメリカの戦争にいつでも参戦できるというキテレツな解釈で新しい法律まで作ってしまった政権と政党ですから、「重点4項目」における緊急事態条項も、いくらでも拡大解釈され得ると考えておく必要があります。「異常かつ大規模な災害」には武力攻撃も含まれる。小泉政権下で制定された「国民保護法」は「武力攻撃災害」への対応規定があり、「武力攻撃」と「災害」の間に明確な区別がない。何らかの武力衝突が発生したり、体制にとって脅威とみなされる社会運動が強まった場合にも、内閣が政令だけで人権を大幅に制限できるようにすることも容易になるのは、自民党草案でも「重点4項目」でも同じです。

前田――自公政権の枠組みを維持して、さらに維新の会を取り込むために、4項目をはじめ、あれこれ打ち上げてきた。

斎藤――一応、自民党の中でも2通りの解釈があるとは聞いています。「大災害」はあくまでも「大災害」だ、武力攻撃は含まれないという人もいなくはないらしい。ですが多数派は、それだけだったら、「災害対策基本法」をはじめ、感染症なら感染症法、原子力災害だったら原子力災害対策特措法といった具合に、わざわざ憲法に書き込むまでもなく、カバーできる法律がすでにたくさんある。それをあえて憲法に書くとすれば、網をさらに広げ、どんなふうにでも使えるようにしなければ意味がない、と考える人たちです。近年の自民党議員たちは、本来の思想信条に反しても、ひたすら強い側につくことを恥じないし、厭わない。だから恐ろしい。

つまづいた検察庁法改正

前田——今回、黒川弘務検事長問題が生じて、その中で一般の自民党議員が珍しく政権と異なる意思表明をしました。官邸と違う意見を表明するのは、石破茂以外には誰もできないと思われていたのが、元新潟県知事の泉田裕彦議員や、船田元議員をはじめ、自由に意見表明しました。

斎藤——安倍一強とはいっても、一時ほどの力はなくなりつつあると見た政治家が徐々に出てきたのでしょう。筋論から言って、黒川の定年延長、検事総長就任、それを正当化する法改正などということは、あってはならないことです。あまりに明々白々なので、ようやく一部の自民党議員が口を開いた。泉田、船田の両氏に限って言えば、泉田氏は新潟県知事時代に柏崎刈羽原発の再稼働に抵抗した人ですし、船田氏は自民党憲法改正本部長だった２０１５年、衆院憲法審査会の参考人にまともな憲法学者たちを招いたことで評判になっている。自民党の中ではまずまず筋を通してきた人たちで、改めて政権に異を唱えたというわけではないのですが、以前に比べたら、まだしも風通しが出てきたのかな、とは言えるような気はします。

前田——今回の公務員法改正、検察庁法改正は、法律論としては大きな論点がいくつもありますが、実際にはまじめに議論したくなくなる低レベルの話でもある。

斎藤——法律を無理やり変えてでも、巨悪を取り締まるべき法の番人のトップに政権の子飼いを据えようとしたのですから、つくづくひどい話です。いつもなら強行採決に持ち込まれたでしょう。今回、最終的には黒川氏の賭け麻雀が発覚して阻止できたのでしたが、はっきり言って、芸能人、タレントたちの積極的発言のおかげということに尽きますよね。

前田——小泉今日子、きゃりーぱみゅぱみゅ、浅野忠信、井浦新といった芸能人や、アスリートたちのツイッター発言が相次いだ。

斎藤——いきものがかり（水野良樹）、西郷輝彦、高田延彦らも発言したそうです。彼ら彼女たちにはテレビ局やスポンサーに睨まれるリスクだってあるだろうに、みなさん素晴らしい。本当にありがたいと思いました。ただ、芸能人が動いて初めてどうにかなる、逆に言えば、芸能人が反対してくれなければ権力の思うがままの社会って、いったい何なんだとも思いました。

前田――国際的には、芸能人が政治発言するのは当たり前のことです。日本では芸能人が政治発言しないのが当たり前とされていて、小泉今日子が発言したので驚くと同時に、それだけ影響力が大きくなった。

斎藤――それなりの議論の積み重ねがあったから、芸能人たちも理解してくれ、意見を表明してくれた。ただ、一般の市民が反応し、ツイッター・デモにまで至ったのは芸能人の声があったらばこそで、ジャーナリズムや野党政治が直接動かせなかったことには、引っ掛かりが残ります。

前田――法律家で言えば、私も所属している「日本民主法律家協会」は早い段階から批判していました。弁護士会からも批判声明は出ていました。でも、あまり報道されないし、法律家の間でしか話題にならない。小泉今日子のおかげで一気に広がりました。

斎藤――みんなで努力したことが、芸能人の皆さんのおかげで、回りまわって成果につながったとは言えるかもしれません。それだけは救いです。

検察の反乱をどう見るか

前田――『週刊文春』の黒川・賭けマージャンのスクープが出る前は、もう強行採決されてしまうのではないか、と感じはじめていました。

斎藤――みんなそう思ってました。あの幕引きも、こういう終わり方か、と情けなくなりました。あの終わり方だと、黒川を検事総長にできなかったのは、世論の反対があったからではなく、黒川個人が間抜けだからということになる。

前田――黒川がこけたら、林真琴が検事長です。これでよいのかと思います。

斎藤――政権の都合で法律まででっちあげるやり方は回避できても、今度は新任の人物が子飼いにされるだけ、という結果になる可能性もある。リベラルな検察官なんていませんし。

前田——現職の検察官たちが沈黙したのも情けない。

斎藤——元検事長クラスのＯＢたちが反対の意見書を発表して、これも大きな話題になりました。ルイ14世まで引き合いに出していた。

前田——「朕は国家なり」。安倍首相は「そんなこと言ってない」と、わざわざ弁明しました。しかも、ルイ16世と間違えた。ルイ16世なら、革命のさなかにギロチンです。

斎藤——昨年2月の衆院予算委員会でしたね。統計偽装の問題について立憲民主党の長妻昭代表代行に、「ギリシャも統計の問題が発端で経済危機が起こった。統計の問題を甘くみないほうがいい。扱いによっては国家の危機になりかねない、そういう認識はあるか」と問われた安倍首相は、特別監察委員会の報告書を長々と読み上げた挙げ句、「いま、長妻議員は国家の危機かどうか（と訊いた）。私が国家ですよ。総理大臣が国家の危機という、重大な発言を求めているわけでありますから、まず説明をするのが当然のことではないでしょうか」と答弁したのです。およそ独善の塊でしかない証明のようなセリフを、検事のＯＢたちはよく拾い上げてくれました。改正検察庁法が強行採決されなかったのは、彼らの動きも影響したと思われますが、

ＯＢたちの連名の中に、元検事総長の松尾邦弘の名前があったのが気になります。法務省刑事局長だった１９９０年代の末に盗聴法の制定を推進し、マスコミが「盗聴法」と書いたら、１社ずつ回って「通信傍受法と書け」と圧力をかけた張本人です。

前田――盗聴法は松尾と井上正仁（東京大学教授・当時）のコンビですね。

斎藤――支配のためなら手段を選ばない人であることは間違いない。改正検察庁法反対の意見書も、検察という組織の論理に導かれたものでしかないのでしょうが、とりあえず強行採決されなかったのはよかったというしかない。ゼロだった成功事例がひとつできたのですから。

前田――安倍政権は重要法案をすべて通してきた。挫折したのははじめてです。

斎藤――安保法制も、特別秘密保護法も、共謀罪も、カジノも、年金改革も、介護保険も、働き方改革も、何でもかんでも強行採決されてきましたね。だけど今回があった。芸能人を動かせたら流れを変えられるということなのかも。森友事件で自殺に追い込まれた近畿財務局の赤木俊夫さんの夫人が、第三者調査委員会を作って調査をやり直せという署名運動には、まだ

30万人台しか集まっていないのはどうしてでしょう。黒川問題では、あっという間にツイッターが数百万回リツイートされたのに。署名とリツイートを単純には比べられませんが。

前田――今回はたまたまうまくいったけど、それが続くとは限らない。むしろ、ネット上ではポピュリズムと呼ばれる動きが懸念されるので、何がどう影響するか分からない面がある。

斎藤――SNSは〝動員のメディア〟と形容されることもあります。「自粛警察」が横行する社会では、すぐに「右向け、右！」になりかねません。そういうこともあって、私自身はSNSをやらないし、そもそもスマートフォンや携帯電話を持ってもいないのです。でも、私一人がいくらそんなふうに抵抗しても、もはやどうにもならない段階に入ってしまった。

人間らしく生きられる社会

前田――斎藤さんは、人間らしく生きられる社会を求めて取材と執筆をされてきました。

斎藤――今度のことで一番危惧するのは、監視社会化が一気に加速し、それに抗う者が排除される雰囲気が強まることです。かねて政府と巨大資本が悲願としてきた社会システムが、コロナ禍によって、ごく自然の流れとして、もはやだれにも止められない奔流になっていく。

卑近な例を挙げてみます。「縁結びの神様」で知られる出雲大社のすぐ近くにお土産物の商店街があります。「ご縁横丁」（島根県出雲市）というのですが、緊急事態宣言の解除に伴う営業再開に当たって、飲食店や土産物店など9店舗全部を無人化して、レジを1カ所に集約し、ただし現金での支払いを受け付けず、キャッシュレスによる支払いだけを受け付けることになりました。ここに限らず、小売店の現場では、感染の恐れがあるから現金での買い物なんてもうやめてくれという声が日増しに強まっていると伝えられています。

2月でしたか、愛知県の銀行員が感染したというニュースがあって、銀行員が感染したという噂がつまみ食いされて広がりました。その後の調べで、そうではなかったことが明らかになったのですが、噂は噂のまま、独り歩きしてしまっているのです。

キャッシュレス化は以前から政府の国策です。昨年10月の消費税増税の際にも、消費が冷え込まないようにとポイント還元の対策が取られましたが、キャッシュレスによる決済でないとそうはならないようにされました。かなり強引な姿勢が前からあった。新型コロナで非接触型のサービスが主流になっていき、スマホ決済が一気に拡大する。キャッシュレスが国策になったのは、消費者の買い物履歴をデータベース化して、企業のマーケティングに利用させるためです。代金がきちんと期日に決済されたかどうかもチェックして、一人ひとりの購買力や人格の格付けにも使われます。それがアフターコロナの時代におけるニューノーマルだということにされつつある。

前田——誰もが端末を持って便利になりますが、水平型に見えて、実は中央集権型です。

斎藤——「信用スコアリング」と言いますが、融資における与信審査も、企業の人事採用、保険、教育、行政、婚姻などあらゆる場で活用されることになります。

前田——すべてがシステムに絡めとられる。

斎藤——出身地、現住所、生年月日、家族、学歴、職歴、さらには趣味や嗜好、友人関係、読書歴、犯罪歴、健康状態、果ては遺伝子に至るまで、個人データが分析対象となっていく。

これ以上やってはいけないと思うんです。これまで監視社会化に反対してきた人も、いつの間にか、もう仕方がない、みたいなことを言いはじめています。私のような発言は青臭い書生論扱いされてしまう。まだコロナ禍に陥る前ですが、昨年の夏には監視社会のメリットとデメリットを秤にかけて考えよう、監視社会先進国の中国では政治的な弾圧にも利用されているが、それ以上に便利なのでみんな幸福に暮らしているぞ、みたいな新書が発売されて、相当に売れている。いや、最後まで読めば、そうした功利主義的な発想の暴走を戒めるような論述もあり、決して監視社会を礼賛しているわけではないのですが、全体的には、〝メリット〟を過大に評価しているのではないかと思う。

前田――多数の人々は「監視してもらいたい」と思わされている。監視され、見守られることによって、安全を確保できると。

斎藤――監視されたら安全が確保されるだなんて、誰が保証してくれるのですか。感染追跡アプリがありますね。端末同士が2メートル以内に近づくと記録される。この種のシステムは、何も感染対策がなくても、もともと実用化されていたものです。

日立グループが開発した組織活動可視化システム「ビジネス顕微鏡」が、日立社内で活用されているだけでなく、外販もされている。各従業員の名札にICセンサーを埋め込み、オフィスの主要な箇所に赤外線ビーコン（無線標識）を設置しておく。従業員の社内における動線のすべて、いつどこのトイレに入ったとかも含めて、あるいは誰と近づき、どのくらいの間一緒にいたか、等々のデータがリアルタイムで管理部門に送信される。日立のニュースリリースには、「組織活性度（ハピネス度）」を割り出せるとありますが、ビジネス界の常識に照らせば、ストレートに人事考課や労務管理に使われるのは確実です。そこまで行ったら、会社と従業員の関係は、人間精神までの支配と被支配という関係にされてしまう。嫌なら、そういう会社に勤めなければいいという選択肢があるうちはまだしもですが、こうしたシステムはいずれ社会全体に広がる。感染追跡アプリはビジネス顕微鏡と似ています。

前田――「監視の自然化、常態化」ですね。

斎藤――アフターコロナですべてが変わるのではなく、政治権力と巨大ＩＴ資本の野望がまた一歩、実現に近づくのです。ＧＡＦＡ（グーグル、アップル、フェイスブック、アマゾン）というか、血も涙もないプラットフォーマーたちに世界が支配される。それを支配される側の人間が嬉々として受け容れる。「自発的な隷従」というやつですね。テクノロジーの進歩を批判する者は常に、産業革命当時の「打ちこわし運動」に引っ掛けられて、「ネオ・ラッダイト」などと揶揄されるのですが、そんなことを言っていられる状況ではないと考えます。

前田――新型コロナで、ＧＡＦＡなどの経営者たちの資産が猛烈に膨れ上がった。

斎藤――でしょうね。インターネットがなければ世の中が成り立たないようにされてしまいましたから。私のせめてもの慰めは、私が想像するところの最悪な状況、つまり完全に支配される頃には、自分はもうこの世にはいないだろう、ということぐらい。会社員だったらテレワーク、学生だったら遠隔授業。仕事や学力の前に、ネットのスキルが何よりも重要になる時代です。

前田――私も遠隔授業、オンライン授業をやっています（苦笑）。

斎藤――5月27日にはやはりコロナのドサクサにまぎれてスーパーシティ法案（国家戦略特区改正法）が可決・成立しました。手を挙げた自治体の中から選ばれた街では、住民の全行動が記録・蓄積され、データ化されます。至る所に顔認識システム付きの監視カメラ網が敷き詰められ、現金での買い物は不可能とされ、クルマはすべて自動運転車、といったイメージが広報されています。国家戦略特区というのは、ある規制緩和ないし撤廃を、いずれ日本中に広げるための前提で、実験的に推進する仕組みです。実験は実験だけでは済みません。

前田――人間がひたすら客体化された、人間らしくない社会になる。

斎藤――「スーパーシティ」は、内閣府を中心に進められている国策「ソサエティ5・0」の導入部です。人間は狩猟社会に始まって、農業、工業、情報と社会のあり方を発展させてきた。これからは情報社会を次のステージに進め、ビッグデータとAIを活用し、「経済発展と社会的課題の解決を図る」「我が国が目指すべき未来」であり、「人間中心の社会」なのだとPRされている。監視社会の議論には、「人間とは何か」という哲学的なテーマの議論が不可欠だと私は考えているのですが、そんなプロセスは完全に吹き飛ばされて、「人間」とはただ単に便利なら、精神の奥底までを何者かに支配されてであっても、カネになりさえすれば喜ぶ生き物だと、一方的に決められてしまった。

前田――それに適応できる人と、できない人がきれいに分断されていく。シンガポールが分かりやすいです。感染症対策のシステムが万全で大丈夫だと話題になった。ところが現実は違っていて、急速に悪化した。シンガポール国民ではなく、システムから排除されていた外国人労働者が新型コロナに感染した。「一級市民」を守っただけで、「二級市民」を守らない。

斎藤――感染症ですから、貴族だろうがエリートだろうが感染する恐れはあります。とはいえ確率はまるで違う。豊かな者と貧しい者とで、異なる論理が適用されて、今まで以上に格差が広がっていく。それもまた、支配層にとっての理想郷です。

くだんの遠隔授業も新型コロナで始まったわけではありません。2019年に「GIGAスクール」が閣議決定され、生徒一人ひとりにパソコン1台というストーリーは、すでに始まっていました。子どもたちの家庭それぞれのネット環境やスキルが格差をさらに押し広げる要因になります。元になったのは「未来の教室」というプロジェクトでした。これは文科省ではなくて経産省が進めてきたのです。

前田――教育に関わるのに、経産省。

斎藤――経産省が遠隔授業を推進しようとしてはじめた。しかも事務局は同省でさえなくて、アメリカに本拠を置くコンサルティング・ファーム「ボストン・コンサルティング・グループ」。イスラエルのネタニエフ首相とか、政府関係の仕事を多く手掛けている経営コンサルタントの冨山和彦さんらを輩出したことでも知られています。子どもたちの教育を外資系コンサルティング会社に委ねてしまうというのは異常きわまりないことだと私は怒りを禁じ得ません。

「ジュニア・アチーブメント」という団体があって、そのプロジェクトともメンバーの一部が重なっています。これは遡れば第一次世界大戦やロシア革命の直後、1919年にアメリカを本国とする多国籍企業――IBM、GM、GE、エクソン、P&G（プロクター　アンド　ギャンブル）など――によって結成された国際教育団体です。世界中の子どもたちを自分たちに都合よく教育していこうという組織ですね。1990年代後半、新自由主義の波が教育分野にも押し寄せてきた頃から、本格的に上陸してきた。グローバル巨大資本のロジックが、今度のことでいよいよ教育の領域をも席巻していく。いずれ文科省はなくなるかもしれない。

前田――必要ない。もともと、ないほうがよかったですが（苦笑）。

斎藤――すでに高校の国語教育で小説や詩歌を鑑賞する機会が減らされ、ビジネス文書とかプレゼンテーションのスキルばかりを叩き込まれるようになったと伝えられていますね。あれがもっと徹底され、支配層の経済的利益に直結しない学問領域は排除されていきかねない。

一方で、世の中全体の雰囲気が、ファシズム的な全体主義に振れてきているような感覚も否定できません。人々が国家の力に頼り、彼らの権威を後ろ盾に、逆らう者を罵倒する。ファシズムというのは、広がってくると、これに同調する者にとっては、むしろ「自由」とか「解放感」を覚えるものだと言いますね。大学でファシズムの体験授業を実践している田野大輔氏（歴史社会学）の『ファシズムの教室』に書いてありましたが、例の「自粛警察」や、安倍首相らに価値観を合わせた「ネトウヨ」の人たちを見ていると、そういう感覚があるのだろうなということが、よくわかります。

前田――日本がどこにどのように転落していくのか、不安になります。

教育政策や科学政策はおよそ先進国の名に値しません。科学政策の貧困はずっと指摘されてきました。研究教育予算を出し渋るため、自然科学分野では優秀な人材が国外流出してきたくらいです。金も出さずに口を出して、大学などの研究機関に軍事研究を押し付けようとしています。人文社会科学分野では御用学者育成に余念がなく、政治家にも文科省にも学問の自由や民主主義への配慮がまったくありません。ネトウヨ的な反知性主義を濃縮した結果が菅政権です。

第3章 東京電力に見る日本的システム
――嘘と隠蔽と排除の構造

堂々たるフェイク・ジャパン

前田――次々と大問題が起きるため、原発問題は政治課題としては後景に退いた感がありますが、福島原発刑事裁判での勝俣恒久元東京電力会長らの無罪判決以後も、さまざまな動きがあります。安倍政権が進めようとした原発輸出政策は、モンゴルでもインドでもイギリスでも失敗し、先が見えません。国内では美浜原発や柏崎原発再稼働に向けた動きが急です。他方、原発廃棄物である核のごみ処分場に、寿都町と神恵内村（北海道）が「応募検討」を表明しました。

斎藤――日立がイギリスから完全撤退です。世界の潮流は変わってきているので、原発輸出を諦めて、国内でも原発を終わらせていくべきだという議論になるのが自然です。しかし日本では、様々な利権があるため、なかなかそうはならない。「新しい帝国主義」を目指すなら原発輸出は柱にしたいと考える。ロシアや中国では原発推進で、原発輸出に動いているので、簡単にはやめない。日立、東芝、三菱がどうするのか、民間が原発輸出政策にどこまでついていくのか。企業は自然エネルギー開発も進めていますから、もしかすると「新しい帝国主義」のメニューに自然再生エネルギーを組み入れることだってあり得ないことではないと考えます。

前田――環境保護やSDGs（持続可能な開発目標）といった話に合わせるには、自然エネルギーのほうが適合的です。素早く取り込んだほうが得です。SDGsは2015年の国連サミットで採択されましたから、もう5年たちました。

斎藤――ビジネスの論理から言えばそうなるはずです。それがならないのが、利権政治です。ただ、自然エネルギーにしても、危惧がないわけではありません。言い出すときりがないのですが、大量発電の原発と違って、自然エネルギーとなると、安定供給や効率性の保障のためにスマートグリッドだという話になる。スマートシティはその実験です。電力供給をすべてコンピュータ管理するという話になると、消費者の電力使用状況から、所有する家電製品の様子まで筒抜けになっていく。その状況はやはり怖い。

前田――「お宅の冷蔵庫は古いから省エネの最新型冷蔵庫を買いなさい」という「親切」な広

告が届くようになる。

斎藤――そうです。マイナンバーから何から、すべてのデータが集約されています。「お宅のお子さんは何歳ですね。お誕生日に、こういうお祝いはいかがですか」という広告を私がマーケッターであれば出しますね。

前田――便利な暮らしはよいけれど、それと引き換えに、失うもの、なくなるものが目に見えないだけに、どこまでもはまり込んでいく。

斎藤――確かに見えない。だから、全然気にしない人も多数いる。功利主義で行く限り、それでいい、だって便利だしラクチンなんだもん、ということにもなる。

かつてキャノンの御手洗富士夫が『「強いニッポン」』（朝日新書）を出して、彼の経営哲学を提示しています。しきりに言っていたのは、部分最適と全体最適ということです。経営というのは部分最適にこだわっていてはダメで、全体最適が大切である。部分最適を優先すると全体がダメになる。企業で言えば、各分野に進出しても、うまくいかない分野はすみやかに切り捨てないといけない。企業単体の論理だけなら、それも分からないではないのですが、それを社会全体に押し及ぼしていこうとする。すると、弱い者を切り捨てる理屈にしかなり得ません。

前田——菅政権が発足しましたが、政策面でも内閣の顔ぶれという面でも「安倍内閣の継承」となっています。「安倍＝菅政権時代」とまとめて呼ぶのが適切かもしれません。

斎藤——毎年末に京都の清水寺で行う「今年の漢字」みたいな言い方をすると「嘘」ということになります。「明治150年」、「モリ・カケ・サクラ問題」、そして統計偽装問題ですが、いずれも「嘘」にまみれています。「明治150年」にしても、2018年は明治の改元から150年目でしたが、明治とはどういう時代なのか、きちんとした検証がなされていない。

前田——安倍晋三のお友だちを優遇し、税金を私物化した「モリ・カケ・サクラ問題」のような税金泥棒がまかり通る。菅政権発足と同時にオーナー詐欺商法のジャパンライフの山口会長が逮捕されましたが、これも「嘘」。

おまけに山口会長は「桜を見る会」に招待されたことを利用して詐欺被害者を増やしていったわけですから、「安倍＝菅＝山口オーナー商法」です。お友だち優遇で政策をねじ曲げる。歴史認識のレベルでも、つねに「嘘」がついて回る。

斎藤――お上が作った歴史をそのまま絶対に正しいのだと決め、素晴らしい時代であったとし、今の日本人も明治人のようになれと、安倍晋三首相は国会の所信表明演説などで何度となく繰り返してきました。しかし、明治は近代化が果たされた時代、江戸時代の封建制度が解体された時代ではありますが、それで民主主義になったかというと決してそんなことはない。政府主導の富国強兵、殖産興業によって近代化を果たしつつ、外に向けてはアジアへの侵略戦争につながり、昭和の「太平洋戦争」につながり惨めな敗戦を迎えた。褒められた時代ではありません。

前田――「嘘」があまりにも多い。嘘が発覚しても反省しない。反省どころか、嘘を隠すために次の嘘をつく。クール・ジャパンならぬフェイク・ジャパンです。官房長官としてアベの嘘を擁護してきた菅首相もフェイク・ジャパンの主犯と言ってよい。

災害棄民――天災か人災か

前田――他方で、「災」の字が強調されています。２０１１年の東日本大震災以後、16年の熊本地震、18年の北海道胆振東部地震も深刻な被害を生みました。秋には台風が来るたびに各地で洪水被害が生じています。20年7月には熊本県人吉地域が洪水被害に見舞われました。天災のように見えますが、人災ではないかとも言われています。

斎藤――嘘に基づいた価値観を国民に強要し、自分たちの失敗を棚に上げて開き直る。ここ数年は特に酷かった。災害にしても例の西日本豪雨でそうなる兆候があり、気象庁も警報を出していた段階で自民党の政治家というか安倍取り巻きは「赤坂自民亭」で宴会に興じていました。

前田――2018年7月5日、西日本豪雨の前夜、東京・赤坂の議員宿舎で開かれた自民党議員の宴会「赤坂自民亭」です。安倍首相、岸田文雄党政調会長、小野寺五典防衛相ら自民党議員50人の大宴会を開いて、豪雨被害などそっちのけで酒食に耽っていました。

斎藤――防衛大臣が酔っ払いながら指示を出していた。その後の豪雨時も、責任者不在が繰り返された。「ふざけるな」以外の言葉を思いつきません。でももう忘れ去られてしまっています。

前田――アメリカではポスト・トゥルースという言葉が使われています。トゥルースが真実、ポスト・トゥルースが真実後で、「真実後の政治」と言われる。国民も真実に興味がないし、政治家も真実を説明する責任が問われない。

斎藤――市民運動や労働組合が主催の講演会等でお話しする機会に必ず出てくるのが、「野中広務さんは偉かった。後藤田正晴さんや田中角栄さんも偉かった」。果ては「中曽根康弘さんも偉かった」（苦笑）。現役時代には酷い政治をして批判された人たちでしたが、「今に比べればはるかにマシであった」、という与太話を否定する気になれません。ストレートに軽蔑しなくてもいい相手が比較的多かったという気はします。

再稼働と原発輸出計画

前田――明治150周年、モリ・カケ・サクラ問題、年金・社会保障問題、安保法制、辺野古基地建設問題、共謀罪、改憲問題、検察庁法改正、日本学術会議任命拒否問題と、至る所にそういう兆候があり、一体この国はどうなってしまうのか。厳しく指摘する人もいるのに、改善するどころか事態はもっと深みに嵌っていく。国家と社会を含めて、今の日本が置かれている状況を象徴する一つが今日のテーマの東京電力です。

斎藤――福島第一原発事故にも関わらず、国側は原発推進の姿勢を全く変える気がない。全国で50以上の差止め訴訟が提起されたにも関わらず、次々と再稼働を進めた。司法もこれを追認しています。たまにまっとうな原発再稼働差止め判決が出たりしますが、高裁でひっくり返る。司法が完全に行政の追認機関に堕していることも含めて、何が何でも原発推進です。国内のみならず、海外輸出まで叫んでいる。

前田――行政も司法も福島原発事故の教訓に学ぼうとしない。避難者を放射能汚染地域に帰還させる棄民政策が堂々と進んでいます。自主避難者への住宅費補助も打ち切りとなりました。極めつけが東電幹部刑事裁判の一審無罪判決です。２０１９年9月19日、東京地裁は、勝俣恒久元会長、武黒一郎元副社長、武藤栄元副社長の３名の被告人に対して、いずれも無罪とする判決を言い渡しました。

斎藤――津波の予見可能性などが論点とされていますが、裁判所は別の論理で動いているようですね。福島原発事故以前、07～08年頃に経済産業省は「原子力立国」という構想を打ち出していました。国策だったわけだから、東電幹部に責任を問うことなど考えられないのでしょう。経済大国であり続けるためには原子力立国であるべきだと、国内の電力を出来るだけ多く原発で賄おうとする一方で、原発を海外にどんどん輸出していく。色々な背景があり、原発は欧米諸国ではあまり流行っていません。ドイツやスイスのように、原発から撤退の動きを見せているところが多い。アメリカもさほど熱心ではない。熱心なのは中国、韓国、ロシアなんです。そうした中、「技術的には日本の原発は優れている」と彼らは自負している。これから経済成長していく発展途上国は利権が広がる原発を導入したがっているのは確かです。原発は核開発技術でもあるので、核兵器を持っていない日本の保守政治家には「原発を維持しておきたい」という意識もあります。

もちろん原発関連訴訟の原告になっている方々をはじめとして、根強い反原発運動がありますので、彼らの思惑通りにはいってない。それは国際的な流れであり、最近ではトルコに原発輸出をする計画を打ち出した三菱重工がどうも難しくなったという報道がありました。これはお金の点で折り合わなかったことと、トルコ側の人民運動に阻まれた色彩が強い。しかし日本国内では司法やマスコミが政府への「忖度」ばかりになって、チェック機能が働かないため、再稼働が進んでいる。

前田――電力需要から言っても原発の必要性は低いのに。

斎藤——少子高齢化なので日本の産業は海外に移っている。国内の電力需要は減る一方です。再稼働する必要性などないのに、なぜそこまでするのか。輸出のために国内再稼働をしてきた訳です。福島の事故があって危ないため動かしませんとなると、「なぜ自国で動かせないものを他国に売るのだ」という話になります。輸出するためには国内で動かしておく必要がある。必要もないのに原発を動かして、三菱重工や日立が海外に原発を売る。日本はそのためのショールームにさせられている。もう一社、大手だった東芝も原発から撤退となりました。

前田——安倍首相が「世界一安全な我が国の原発を輸出する」と言ったので、呆れたわけです。

斎藤——あの人は若い時に神戸製鋼に勤めていたのですが、安倍首相にとってビジネスマン体験は何も役に立たない、人生に影響のないものだったのでしょう。ただ安倍首相のやり口を見ていると、反対が多いほどやりたがる。彼の理屈では、抵抗が大きいほど〝燃える〟のかもしれません。長年見てきて、実は、嫌がるものに無理やり何かさせるのが好きな単なる「変質者」ではないかとさえ思えてきます。

前田——総務省のかかわりの長い菅首相は、特に電力会社とのつながりはないかもしれませんが、安倍政権の継承で原発推進が続きます。

斎藤――電力政策は、経済産業省の影響が強いと言われてきました。

インフラシステム輸出とは

前田――原子力立国という発想、あるいは「ベースロード電源」という位置付けで、日本でもちゃんと稼働していることを踏み台にして原発輸出を進める。官僚の描いている青写真自体は変わっていなくて、菅政権も同様でしょう。

斎藤――原発輸出も、部分だけを見て考えると誤解します。「インフラシステム輸出」という大きな国策があります。アベノミクスの柱として金融政策、財政出動、成長戦略などと言っていますが、〝成長戦略〟の中には、働かせ方改革や教育改革などいろんな要素があります。働き方改革は実は「働かせ方改革」で、残業は規制すると言いながら、「ただで残業しろ」と言っているのと同じです。過労死がたくさん出ることになるでしょうが、そんなことはどうでもいい。それよりも大企業が低コストでたくさんお金を取ってくればいい。だって利権だから。

前田――アベノミクスへの疑問は一応報道されました。国内における「成長戦略」の部分は見えやすいけど、海外における「成長戦略」が見えにくいため、インフラシステム輸出の実態はあまり報道されません。アベノミクスという言葉自体、いつの間にか忘れられ、今や「アベノマスク」を笑い、「アベノリスク」を語らなければなりません。次は「スガノリスク」です。

斎藤――成長戦略の要はインフラストラクチャーの海外輸出です。社会の道路、橋、鉄道など川上から川下まで――要するによその国づくりを一からする代わりに、その国で地下資源が豊富なら優先的に回してもらう。

前田――発展途上国の成長・発展のお手伝いと言えば聞こえがいい。

斎藤――要は発展途上国の都市計画、発電所、道路、鉄道、通信網、港湾、空港建設などのコンサルティング、設計、資材調達、施工、できあがった後の運営、メンテナンスに至るまですべてを請け負うという話です。

前田――だから「オールジャパン」となり、官民一体になる。

斎藤――なぜこのような話が出てきたか。大元は少子高齢化です。普通は少子高齢化で心配なのは社会保障です。働き手が減れば財源がなくなるのでどうしようか、と。私が取材する限り政府関係者はそのことを心配していない。社会保障が大変になったら、そんなもの止めてしまう。足らないのであれば消費税を上げればいいという考え方です。彼らが心配しているのは、少子高齢化に伴う内需縮小です。商品が売れなくなり、国内に足場を置いてる企業はどうやって儲けるのかを心配して、内需が減るなら外需を増やすしかない。これから成長していく国の「国づくり」までやることで収益をあげる。政府の文書にしっかりと書いてあります。「官民一体のオールジャパン体制でやっていく」と書かれています。この中心に原発がある。

前田――非常に大きな絵柄なので、なかなか全体像が見えないのですが、新幹線輸出に失敗し、原発輸出にも失敗しつつある。

斎藤――国のあり方の新展開を図らなければいけないのですが、容易ではない。なぜなら、先ほど明治150年の話をしましたが、安倍首相が強調した「近代化でもって大日本帝国の夢をもう一度」というところです。以前、小沢一郎、古賀誠、亀井静香という元自民党の大物政治家たちに、たて続けに安倍政権の評価を聞きに行く機会がありました。皆さんに「どうして安倍さんはあんなに憲法を変えたいのか、やたらでかいことをしたいのか」と聞いたところ、口を揃えて「じっちゃんの夢を再び」ということだそうです。岸信介がやりかけていた大日本帝国を完成させたいという（本書第5章208頁参照）。

前田――夢をもう一度と言っても、国内状況も国際的環境も違うので難しい。

斎藤――大日本帝国は人口が増えていましたが、今は減っています。条件は違うが、それでもやりたい。少子高齢化だったら、昔の帝国主義の理屈だった過剰人口のはけ口としての植民地支配の理屈が成り立たない。経済学者に尋ねたところ、今度は過剰人口の代わりに過剰資本である。大企業の資本が過剰になり内需だけでは食べていけなくなるので、そのはけ口としての外需という理屈になる。元々大国の条件が備わっていない日本にとって、これしかない。大義名分なんてどうにでもなる。安倍にしても菅にしてもこれから何十年も総理をするわけではない。あと数年、どんなに原発輸出が上手くいかなくとも同じ路線で進んでいくと思います。

原発問題へのもう一つの切り口

前田――斎藤さんは原発問題自体は自分のフィールドとして取り組んできたわけではないとのことですが、改めて見るとやはり原発問題とつながっていたと気づいて、東電を追跡してきました。東京電力は日本を支配する大企業であり、原発は国策で行われており、国家と企業の緊密な網の目の中で動いてる。経済ジャーナリストの側面から東京電力のことをみんなに知らしていくためにはどうしたらよいのか。東電がよくも悪くも日本のシンボルである、と。

斎藤――そんな風に言ってもらえるとかっこいいのですが、本当はあまり原発問題をやりたくありませんでした。やっている先輩ジャーナリストが多くいたからです。脱原発運動に取り組んできた人も大勢います。みな各地で訴訟を闘ってきました。弁護士にも昔から原発差止め訴訟をしてきた方もいます。技術者もいた。

前田――特にチェルノブイリ事故の後、脱原発の思想と運動は日本全体にそれなりの影響を与えました。物理学者の高木仁三郎（1938~2000年）や、「熊取六人衆」と呼ばれた京都大学の研究者たちも含めて、多くの科学者が立ち上がり、運動も広がりました。

斎藤――ジャーナリズムの世界でも『日本の原発地帯』（潮出版社）、『六ヶ所村の記録』（岩波書店）などの鎌田慧さん（1938年〜）をはじめ、優れた先輩方が取り組んできました。基本的には反原発、脱原発ではあったので、反対署名に賛同したり、運動に協力してくれと言われればそこに加わったりしましたが、自分で率先して取り組むことはしませんでした。福島原発事故が起きてから、これまで十分取り組んでこなかったことは少し恥ずかしいと感じました。

前田――監視社会、教育問題、改憲問題をはじめ、斎藤さんは多くのテーマを抱えてきました。

斎藤――憲法問題や国民教育の問題だとか格差社会問題など、お上にたてつくようなことばかり書いてきました。ですからいろんなところで嫌われてきたのです。保守層の読者だけではなくマスコミ業界でも嫌われるようになってしまった。私は元々フジサンケイグループの日本工業新聞出身です。その後も『週刊文春』の記者や『プレジデント』の編集者でした。どちらかというと保守系のメディアで働いてきました。以前はそれらの媒体も鷹揚《おうよう》だったので、幅広いテーマを扱うことができたのです。

私は一時期「『諸君！』から『世界』まで」をモットーにしてました。保守の代表格だった文藝春秋の『諸君！』という月刊誌と、逆にリベラルの代表格の岩波書店の『世界』、両方で同じようなテーマを書くことを自分でも課していました。ところが、保守の方からは次第に嫌われて、元々出身母体だったところからどんどん締めだしを食うようになってきた。

前田——私は『諸君！』の愛読者でしたから、一度書かせてもらいたかったのですが、その機会がないまま雑誌が廃刊になってしまった（笑）。ところで、1979年のスリーマイル事故の頃、斎藤さんはまだ学生でしたか。

斎藤——私は1958年生まれなのですが、戦後民主主義が逆コースになっているにも関わらず、「上辺の戦後民主主義」の中で育ちました。家は鉄くず屋で、父は朝鮮戦争当時はシベリアに抑留されていたので裕福なわけではありませんでしたが、だからと言って食べるのに困ったわけではありません。ただ目の前のことだけを見て遊んでいる学生でした。後を継いで鉄くず屋になるつもりでしたので勉強を一所懸命する必要もなく、ただ遊んでいる子どもでした。

前田——1986年のチェルノブイリ事故の時はどうでしたか。

斎藤——1981年から83年まで『日本工業新聞』で鉄鋼業界担当記者でした。何の問題意識もなく、鉄の担当記者としてよく言えば取材先に食い込む、悪く言えば取材先の社長に可愛がられることだけを目指す記者活動ですね。チェルノブイリ事故の時は『週刊文春』の記者でした。身近な事件やスポーツ、芸能の記事を多く書きました。

前田——スリーマイル事故やチェルノブイリ事故のためではなく、経済ジャーナリストの経験を踏まえて東京電力という企業に焦点を当てようと考えた。

斎藤——その後イギリスに留学したり、フリーになったり、与えられたものをとにかくこなしていき、少しずつ問題意識が育っていきました。40歳の頃に格差社会や監視社会のテーマを見つけました。その頃になると、自分がただ幸せだと思っていた少年時代も、高度成長と言っているが、それは日本が立派だったわけでも何でもなくて、朝鮮戦争やベトナム戦争のおこぼれを頂いていただけじゃないかと疑問を持つようになりました。

たとえば格差問題を取り上げて政府に批判的な記事を書くジャーナリストというのは、通常新聞でいうと社会部系の人です。社会部系記者は取材力が確かにあるが、経済のバックグラウンドに対する目配りがない。原発についても単に利権構造を「原子力ムラ」だと済ませてしまう。もちろんその通りなのですが、そこにはどんなメカニズムが働いているかが大事なのではないか。でもそれには社会部系の人はあまり興味を示さない。私の場合は政府の政策批判や事件の追及をするにしてもビジネスの論理がどのように働いているかに興味が行く。

3・11時の東電中国ツアー

前田――そこで東京電力の人と組織に迫ることになります。3・11事故の時に東京電力と日本の政財界人、特にジャーナリストが中国ツアーに行っていた。そのツアーのタイミング、メンバー構成、行動スケジュールを見ると、この事件の一つのポイントが隠れている。

ツアーの団長が勝俣恒久（東京電力会長）、副団長が鼓紀男（東京電力副社長）及び平野裕（毎日新聞元専務主筆）。以下、団員が22人ですが、東電や中電など電力関係者に加えて、メディア関係では中日新聞社相談役、毎日新聞中部本社元編集局長、元『週刊現代』編集長、元『週刊文春』編集長、元『週刊新潮』広告部長、日本出版協会監事など。

斎藤――この時期の東京電力で一番権限を持っていたのは勝俣会長でした。この人が事故の時点で北京にいました。電力の海外輸出を進めるアジアの拠点の一つとして東京電力の北京事務所を設立し、その開設式に出ていた。各新聞社のOBや役員たちが、ある人が主催したツアーに便乗して出かけていた。スポンサーはどこまでも東京電力です。ツアーは毎年続けられていまして、勝俣会長自身は北京事務所開設に合わせていたわけですが、元々東京電力がスポンサーになり、マスコミ幹部を集めて中国に出かけていたのです。

前田——ツアーで北京にいたため、原発事故にもかかわらず、勝俣会長はすぐに指示が出来ず、問題が広がってしまいました。

斎藤——ツアーを主催したのは自由社という出版社の石原萠記（1924〜2017年）という人です。自由社というのは『月刊自由』という雑誌を作った会社です。保守論壇の中心だった雑誌です。今この自由社は新しい歴史教科書を手掛けています。一貫して「タカ派」の出版社です。

石原さんは戦後史の塊のような人でした。戦前戦中は社会党右派の活動をしていました。戦後復員してやることがなくなって困っている時に社会党の先輩の誘いを受けて、自動車会社のフォードが持っているアメリカの財団に拾われたので。

前田――フォード財団ですか。

斎藤――アメリカ合州国政府は海外の政府の人間としか付き合わない、といいます。

アメリカ政府が日本の民間人に何かしようとする時は、財団を通して行う。フォード財団が、アメリカ政府の意向を受けて日本に工作資金を持ってくる。石原さんは日本側の窓口でした。後見人が3人いまして、八幡製鉄の藤井丙午、富士銀行の岩佐凱実、そして東京電力の木川田一隆、東京電力の中興の祖と言われた方です。この3人が保証人になって石原さんはフォード財団につながりました。そのお金をもって『月刊自由』を創刊し（1959年設立、2009年2月号で休刊）、保守論壇を取りまとめていく。フォード財団は同時に自由民主党、民社党のスポンサーにもなりました。保守政党はアメリカのお金で成り立った。そして連絡係として石原さんがいた。

3人の後ろ盾のリーダー格は東京電力の木川田さんです。その子分が後の東京電力社長・会長を歴任し経団連会長もする平岩外四さんだった。平岩さんは石原さんとの連絡役をいつも行っていた。日米を大きく巻き込んだ中心に東京電力の平岩・石原コンビがあり、マスコミを懐柔するためにマスコミ幹部を中国に連れて行った。ざっくりいうとそんな話です。

原発安全神話のパラドックス

前田――このツアーのような形で、日本の政財官を繋ぐ中に、保守派の思想家たちがいて、ジャーナリストも学者グループも動く。見事な癒着構造が形成された。そういう人たちが科学技術面での安全性など無視して、日本のメディアを通じて「原発安全神話」を広めていく。

斎藤――全部で54基もの原発が作られました。ところが、一方では北朝鮮がミサイルを撃ってくるぞという。ミサイルを撃ち込まれるところに原発があったら危ないわけで、実際に指摘する人も増えてきました。実は当局はそのことを百も承知していました。1984年2月に外務省が外郭団体であるシンクタンク「日本国際問題研究所」に委託をして研究報告書をまとめたことがあります。現在稼働している原発にミサイルが撃ち込まれた場合どうなるのか。放射能はどこまで飛散し、地域住民のどれくらいの人数が犠牲になるのかというシミュレーション研究が行われた。112万キロワット級軽水炉の格納容器が爆撃によって破壊され、全電源と冷却機能が失われたという想定をしています。

前田――となると炉心溶融が起きて放射性物質が大気中に拡散されます。

斎藤――当時としては最新の原発安全性評価レポートに基づいて試算した結果、緊急避難をしなければ、平均で3、600人、最大で1万8、000人が急性死亡する。造血機能の障害は平均6、300人、最大4万1、000人となっています。これは格納容器破壊についての試算です。報告書は、原子炉の直接破壊のシナリオも提示していますが、その場合は「さらに過酷な事態になる恐れは大きい」としながらも、検討・分析を避けています。

実際に1981年6月7日、イラクのバグダッド郊外に建てられた「オシーラック」原発施設にイスラエルがミサイルを撃ち込んだ。稼働前だったのでそれほどひどい被害にはなりませんでした。日本も共産圏を仮想敵国にしているので、国内の原発に撃ち込まれたらどうなるのかという研究をシンクタンクに委託した。何百人が犠牲になるという結果が出ましたが、公表されません。反原発運動に指南することになりかねないので隠したと書かれていました。

前田――当時はミサイルですね。最近だとテロリストという話になる。福島原発事故後のことで言えば、ネズミが配電盤に入って感電死しただけで、電源喪失事態が生じた。

斎藤――福島事故が起きた時に内部の修繕やどこが問題であったかいつまで経ってもわかりま

せんでした。人間が入れないからです。それで思い出すのが、通産省が90年代に無人で探索・修繕するロボットを作ろうとしたことです。放射能に耐えるロボット。たとえば東芝の作業監視支援ロボット「ＳＭＥＲＴ—Ｋ」と「ＳＭＥＲＴ—Ｍ」、日立の小型軽作業ロボット「ＳＷＡＮ」、三菱重工の作業ロボット「ＭＡＲＳ—Ａ」と重量物運搬用ロボット「ＭＡＲＳ—Ｔ」などで、２００１年11月に東京ビッグサイトで開催された「２００１国際ロボット展」にも出展されました。

ところが土壇場になり通産省幹部と東京電力はロボット導入を止めた。無人ロボットが必要と分かったら原発が危ないことがばれてしまうからです。安全性が危惧されたこと自体をなかったことにし、文書には「人が入ればよいから問題はない」と、堂々と書いてありました。原子力発電技術機構が２００２年12月にまとめた「原子力防災支援システム（防災ロボット）実用化評価検討報告書」に「高放射線下の災害現場などは、『人』が作業出来るエリアは必ず確保されており、『人』が現場でポンプ、弁等の補修作業、弁の操作、現場盤等の操作を行うことは充分可能である」と書かれています。

前田——高放射線下の現場に人が入れないからロボット開発をはじめたのに、人が入れることにしてしまった。末端の労働者が放射能を浴びながら作業すればいいという発想です。

斎藤——私は鉄の記者をやっていた80年代、経団連3階の記者グループにいたのですが、4階にはエネルギー記者会がありました。エネルギー記者会には電気・ガスを担当する記者が集まっている。当時そこにいた先輩記者に聞いたところ、そういう話はしょっちゅう出ていたとのことです。70年代のロッキード事件の時に、右翼の児玉誉士夫（1911〜84年）という男がいました。「政財界の黒幕」とか「フィクサー」と呼ばれていました。その児玉の邸宅にセスナ機で突っ込んだ若者がいたんです。当時日活ロマンポルノの俳優だった若者がセスナ機で突っ込んで児玉邸を破壊した事件でした。

前田——76年3月23日の児玉邸事件です。ずっと後に9・11事件でジェット機が武器になる驚愕の事件を体験するわけですが、個人邸宅であればセスナ機が脅威になる。

斎藤——80年代後半、モスクワの赤の広場にドイツの少年がセスナ機で飛んできてしまった。防空体制はどうなっているのかと問題になりました。「原発にミサイルが撃たれたり飛行機が飛んできたらどうするのか」という話がエネルギー記者クラブでは話題になっていた。当たり前ですよね。しかし、エネルギー記者会の人たちは東京電力べったりなので、「こういう話をすると敵を利することになるので、やめておこう」と、記事にしなかった。

前田――ソビエト連邦のミグ戦闘機が函館に着陸したことがあります。ベレンコ中尉亡命事件は1976年ですね。ずいぶん騒いだのですが、戦闘機やデータを日本側が解析するのではなく米軍側に引き渡していた。日本側の危機意識はどうなっているのか。

斎藤――危機意識が本当になかった。福島原発事故の時も、私はたまたま朝日テレビの「報道ステーション」という番組に、副社長の豊田正敏さんが出演しているのを見ました。福島第一原発ができた時の現場監督です。福島原発が津波で建屋がどうのこうのとか、どこまで水が入ったとか、豊田さんに聞いても何も分からないのです。「どこに何があるのかも分からない、知らない」という。取材を申し込んでも何度も断られました。最後に電話で少し話ができたのですが、彼は現場をかつて見たことはあるが、指示したことも覚えていない。忘れてしまったのではなく、初めから何の権限も、責任もなかったのですね。

前田――危険だとわかっているが、危険だと口にすると困ったことになる。わからないことにする。忘れる。何となくうまくいくように願うだけ。

斎藤――上位で決められてしまうとそれに向って突っ走る。「ある土地に原発を作れ」ということで政府も電力会社も一所懸命やる。地元で受け入れ側が現れてということになるが、大本を決めた人は自分の意思でやっていたとは思えない。もっと大きな強いものにやらされている感じです。当事者意識がないからどこまでも無責任でいられる。

前田――そういう状況を容認してきた日本社会もあります。いつのまにか容認してしまったわけですが、それもすべて我々の防災意識の問題です。

斎藤――日本で何か大きな仕事をした時というのはすべて当事者意識がない。誰が当事者かというと結局アメリカになりますが、実際アメリカにやらされている。極端な話、高度経済成長にしても、戦争で焼け野原になったわけです。そこから復興したいという気持ちがあったとは思いますが、高度成長のきっかけになったのが朝鮮戦争です。朝鮮戦争が1950年ですが、49年に中華人民共和国が成立します。48年にアメリカのロイヤル陸軍長官の有名な「ロイヤル演説」がありました。中国共産党が権力を握るのはわかっていたので、アジアが完全に「赤化」しないよう日本を「反共の防波堤」にする。工業力をつけさせて経済的に裕福にさせる、という。

前田――背景はドミノ理論ですね。どこか一つの国が共産化すれば、ドミノ倒しのように周辺国に及ぶかもしれない。冷戦時代のアメリカ合州国の外交政策の柱です。

斎藤――その後、朝鮮戦争やベトナム戦争で起こったことすべてが高度成長の始まりです。戦争は日本を潤すためにやった訳ではないでしょうが、米国がそう仕向けた。普通だったら貿易摩擦が生じるところをアメリカは受け止めた。日本を儲けさせたかったからです。日本のあらゆる政策の後ろにはアメリカの指示と支持があった。日本国民もそれに慣れきってしまっている。元々長いものに巻かれろという体質の中に、戦前の天皇に代わるものがアメリカになったということではないでしょうか。

反原発運動と反核平和運動

前田――ミサイルを撃ち込まれたら危ない。それは皆わかっていた。１９８０～90年代に一方で脱原発の運動が盛り上がっていた。脱原発に関わっていなかった人も、原発の危険性、あるいは原発を安全に守るにはどうしたらいいのか。そういう議論はありえたはずです。

斎藤——原発に関する平和運動というテーマで活動している人たちはもちろんいました。東京電力の中にそれらを監視する「ＴＣＩＡ」と呼ばれる組織があったくらいです。ある時、反原発運動で東京電力に抗議行動していたら、ＴＣＩＡに取り囲まれて羽交い締めにされた。その時に色々暴言を吐かれたのですが、その中で「この逆子が」と言われた人がいた。その人が実際に逆子で生まれことは、両親や産婆さんしか知らないことです。逆子ということがそもそも悪口になるのかわかりませんが、東電側はそれくらい一人ひとりの事を調べていた。

前田——本人さえ知らないようなプライヴァシーまで把握している。

斎藤——朝鮮戦争やベトナム戦争と日本経済成長の関係を取材して思ったのは、ことの深刻さに比べて、平和運動や労働運動も、ズバリ本質を言いたがらない。反戦運動にしても、「日本が戦争に巻き込まれてしまうのが嫌だから反対」という理屈になる。これはこれで正しいですが、巻き込まれなければいいのか。戦争に加担することで我々は金儲けしているのではないかという問題意識が希薄です。

原発問題でも市民運動の母体が組合系であれば同じようなことが言えますし、そうでない場合も、本来のテーマが平和であったら原発というと少し専門的な領域に入るので連動しにくい。あるいは「北朝鮮からミサイルが飛んで来たらどうする」という言い方は北朝鮮を敵視していることになるので、平和運動のフィールドから少し外れてしまい、向こうの土俵に乗ってしまう恐れなどもあった。

前田——以前、歴史学者の田中利幸さん（元広島市立大学平和研究所教授）に伺ったことがあります。田中さんは広島にいたので脱原発運動と反核運動の両方に関わってきたのですが、広島の反核運動の人たちがあまり反原発に関わっていなかった。これは日本の特徴ではないかと田中さんは言っていました（鵜飼哲・岡野八代・田中利幸・前田朗『思想の廃墟から』彩流社）。

斎藤——取材した範囲でいうと、意図的に切り離された部分が大きかったのではないかと思います。私は原発技術者に何人かお会いしています。原発の現場で働いて、嫌になり批判する側に回った人ばかりではなく、現役で「原発はよいものだ」と信じて研究している技術者にもお会いしましたが、結構、広島出身の人が多いのです。広島の人に「あなたは直接的な被ばく者ではないけれども、ご家族やご親族など被ばくした人は多いだろう。原子力に興味を持つところまではわかるが、積極的に原発を進める側になるのはなぜか」と聞いたことがあります。彼らがいうには「あくまで平和利用だ。戦争に使ってはいけないが平和利用したらこれほど素晴らしい力はない」と固く信じている。

前田――原発政策導入時に、全国で原子力展を開催していますが、広島をターゲットにしたという話も残っています。原子力の平和利用を掲げて、広島を説得した。

斎藤――長崎では特に顕著です。長崎の原爆で被ばくしたお医者さんで、すごい功績を残した永井隆さん（1908〜1951年）が書いた手記『長崎の鐘』（1949年）を基に映画や歌になりました。永井さんは偉大な人として記録されているのですが、実は微妙な問題もあります。

地元では「永井隆論争」というものが今でもあるぐらいです。この人は敬けんなクリスチャンでした。浦上天主堂という大きな教会が破壊されてしまい、そこに原爆投下後に集まった信者たちに「これは神の摂理である」という話を残している。つまり「私たち長崎のクリスチャンが犠牲になることで人類に戦争を終わらせ、人類にやり直す機会をくれたんだ」という趣旨の話をした。併せて「原子力が平和利用されたらどんなによいことか」という発言をしています。このロジックが国内的にも浸透している。特に長崎で強く意識されています。「怒りの広島、祈りの長崎」という言い方をして、広島の被ばく者は原爆に対して怒り、憤りをあらわにするが、長崎の被ばく者はそうではなく「祈りましょう」ということになりやすい。そんな単純な話ではないですが、概ねそういうことが言えてしまうのは、永井の存在に負うところもある。

前田——広島や長崎の人々の意識を束縛すれば、日本国民全体も射程に入る。

斎藤——『長崎の鐘』の初版はそれだけで1冊の本として出たわけではありません。『マニラの悲劇』という記録と合わせて1冊になった。そうして世に出た本です。『マニラの悲劇』というのはGHQの課報課が作った本です。「ラ・サール学校の虐殺」「キリスト教教会の破壊」「赤十字病院の破壊」「幼児刺殺および街路上の非戦闘員射撃」「婦女子に対する縛手、殴打、殺害」——つまりフィリピンのマニラで日本軍がいかに残酷なことをしたかが述べられている。これはこれで事実だと思います。それと合わせて「長崎の鐘」——原爆の悲惨が書かれている。

ただ、全体を通して読むと、「日本はこれだけ海外で酷いことをしたのだから原爆くらい落とされても仕方がない、その報いである」というストーリーで、そう読ませるように仕向けられている。そこにGHQ側の作為はなかったのか。永井の発言自体が情報操作に利用されたのではないか。そういう疑念をぬぐい切れないのです。

組合潰しと人間潰し

前田——東電のもっとも有名な2人の経営者のことを伺います。傑出した経営者の「光と影」と言いますか、特徴的な部分をお願いします。

斎藤——木川田一隆さんは財界の良心と言われた人です。金儲け一辺倒の財界で、良心的な人と見られています。経団連が「資本の総本山」と言われるのに対して、木川田さんは最後まで経団連と関わらなかった。経済同友会という経営者が個人の資格で入る財界団体で活動した。評論家の佐高信さんは木川田さんの事を高く評価しています。

前田——辛口評論家として名高い佐高さんが、木川田については高い評価を与えている。もっとも、「あくまでも、酷すぎる連中ばかりの中では比較的マシ」という話ですが、木川田はリベラリストで、企業の社会的責任を唱え、勲章を固辞したことが評価されています。

木川田一隆（1899〜1977年）は、「電力の鬼」と言われた松永安左ヱ門に師事し、民間企業人としての闘魂を学んだと言われます。1951年、電力業界再編で誕生した東京電力常務、54年、副社長となります。58年、社内の事情から常務に降格しましたが、59年、副社長に返り咲き、61年、社長に就任しました。71年に会長になり76年に勇退しています。

63年、経済同友会代表幹事に就任し、「協調的競争」を提唱し、人間尊重の理念（人格主義）をベースにしながら、産業界が自主的に適切な競争環境を整備すべきであると主張しました。66年から民間版の調整会議として「産業問題研究会」（略称産研）を設立しています。

斎藤——大きな功績は9電力体制に組み替えたことです。地域ごとで独占しているから腐っているという議論が今は主流ですが、戦前戦中は日本発送電という全国が一つの会社でした。これを9分割して形成されたのが9電力体制です。その中心人物が当時の電力界の大立者だった松永安左ヱ門（1875〜1971年）で、木川田はその下で動いていた。

前田——松永は「電力王」「電力の鬼」と言われた人物です。1947年12月に過度経済力集中排除法が成立し、日本発送電と9つの配電会社が同法の指定を受けます。

斎藤——今となっては地域独占はけしからんということになりますが、当時の完全な独占企業を分割させた木川田は偉かった、ということになります。GHQの経済安定9原則（1948年12月）、ドッジ・ライン（1949年2月）という経済政策によって、電気事業の分割が課題となりました。松永は吉田茂内閣が設置した「電気事業再編成審議会」委員長に就任し、松永・木川田ラインで電力再編成が実現します。１９５１年5月、東京、関西、中部、北海道、東北、北陸、中国、四国、九州の9電力体制になります。72年の沖縄復帰に伴った沖縄電力が加わって、現在の10電力体制ができあがります。もっともこれはこれで松永、木川田個人が頑張ったのではなく、背景にはＧＨＱがいた。ＧＨＱの手先として動いたという面がある。

前田――斎藤さんは、木川田の「人間開発」に一種の欺瞞を見ています。木川田が60年代から経済同友会代表幹事の時期に「企業の社会的責任」論の中心人物となりました。

斎藤――社会と企業の摩擦が激しくなると、政府の経済活動への介入が強化される危険があるということで、「秩序自由主義」的な発想から、社会に原点を置いて企業を見て、「社会進歩への行動転換」を図る。木川田が「企業の社会的責任」を打ち出したのは事実です。

前田――ところが、木川田はレッドパージを遂行した経営者側の中心人物だった。レッドパージもいまや解説の必要な言葉になりました。50年代初頭がピークですが、連合国占領下で、連合国軍最高司令官総司令部（ＧＨＱ／ＳＣＡＰ）総司令官ダグラス・マッカーサーの指令により、日本共産党員とシンパ（同調者）が公職追放されました。公職だけではなく、その前後の期間に、民間企業においても「日本共産党員とその支持者」とされた人々を解雇しました。

斎藤——1946年6月、電産の前身となった「日本電気産業労働組合協議会（電産協）」の発足に伴って、木川田は関東配電の労務部長に昇進して、電産協との交渉役になりました。後で述べる平岩外四は木川田の部下の労務部給与基準係長になる。レッドパージ前後に、全国9電力体制が発足しますが、電産が解体を余儀なくされ、各社それぞれの企業別組合に改組されます。49年12月、関東配電労働組合が結成されました。電産組合員1万人のうち約4000人が脱退して新組合に移行しましたが、その立役者も木川田でした。

前田——組合潰しのプロだったわけですね。

斎藤——木川田を佐高信のようには評価できない一番大きな点は「幻の電源爆破事件」です。1949年に国鉄の「3大謎の事件」が起きています。下山事件、三鷹事件、松川事件です。

前田——下山事件とは、49年7月5日、国鉄総裁だった下山定則が失踪し、翌日に死体となって発見された事件です。警視庁は捜査結果を公表することもなく、捜査を打ち切りました。GHQが暗躍して、国鉄職員の首切りに利用しようとしたなど、後々もさまざまな謀略説が登場しましたが、未解決のまま終わりました。

三鷹事件は、49年7月15日、中央本線三鷹駅構内で発生した無人列車暴走事件です。共産党員らが犯人とされましたが、一人を除いて無罪となりました。一人だけ死刑を言い渡された竹内景助は67年に獄死しました。遺族は現在もなお再審請求をしています。

松川事件は、49年8月17日、福島県の東北本線で発生した列車往来妨害事件です。多数の共産党員が逮捕され、死刑判決を言い渡されましたが、後にアリバイ証拠を検察側が隠蔽していたことが発覚し、全員無罪となりました。この事件でも、共産党の仕業であるというキャンペーンが張られ、他の共産党員・労働組合員の解雇が強行されました。

幻の電源爆破事件

斎藤――この時にもう一つ、「幻の電源爆破事件」が企てられていた可能性が記録されています。当時、水力発電が主流だった日本の電力事情の中で、福島県の猪苗代湖が首都圏の電力源でした。ところが、何者かが水力発電所を爆破するという計画が流布された。起こっていれば下山事件などと同様に「日本共産党の犯行だ」と言われることになっていた。当時の電産はとても強力でした。爆破事件をネタに電産が解体させられる可能性があった。事実、国鉄の「3大謎の事件」によって国鉄労働運動は弱体化しました。1950年にはレッドパージが起きて一掃されてしまう。結果的に電力爆破が起こらなかったことはよいのですが、効果としては起きたことと同じであった。これもGHQがやらせたのではないかと言われています。一連の出来事の中心にいた一人が木川田だったのではないか。

前田――「幻の電源爆破事件」ですか。初耳です。

斎藤――「福島県民衆史研究会」の1995年9月6日の聞き取り記録によると、1949年に奇妙な情報が流れたというのです。「大寺（現在の磐梯町）の猪苗代第2発電所か第3発電所を爆破して、これを電産猪苗代分会の仕業になすりつける秘密計画が進んでいる」という情報です。これは危ないということで、電産執行部は直ちに反撃を開始しました。大寺で大陰謀事件があると暴露する大量ビラを配った。ビラは2万枚に及んだそうです。

前田――陰謀事件を未然に防ぐことができた。

斎藤――1950年7月23日付『福島民友新聞』朝刊第一面には、「電源破壊計画か／猪苗代で怪文書発見／東京送電の重要施設計画箇所」という記事が出ています。猪苗代第1発電所の中継基地である「膳棚開閉所爆破計画」があるという話で警察が捜査に乗り出しています。他方、電産内で発行された『電産関東斗争ニュース』1950年7月11日号には発電所爆発計画のデマへの警戒と批判が書かれています。

前田――爆破テロのデマが流された。労組やストライキへの敵視から、爆破計画を喧伝し、労組潰しを進め、レッドパージをやりやすくした。

斎藤――ずっと後に、1986年3月30日、参議院選挙を目前に控えた時期に、中曽根康弘（当時首相）が演説をした中で、1949～50年頃、「共産党が発電所の爆破をやるんじゃないかという心配があった」などと発言しています。

前田――謀略による電源爆破計画の悪夢が何度もよみがえる。占領下、GHQと日本政府を中軸に電力再編が進められる中、組合潰しのために必要とされた爆破計画ですが、自分たちが作り出した悪夢に長年追い回されることになる。

斎藤――電産を追い出した後で入ってきたのが、今日の電力総連につながる民同派と言われる後の同盟系の労働組合です。これを機に同盟系労働組合はどんどん変わっていきます。木川田は後に偉くなった後で、財界が金儲け一辺倒で公害でもなんでも垂れ流しの時に、かなり良心的な発言をしていましたけど、元をただすとGHQに乗っかり共産党潰しの先兵になった。彼の業績を一概に否定はできませんが、かなり裏表のある人物だったのではないか。

前田――木川田の両面を見ておく必要がある。個人的によい人かどうかではなく、いかなる思想に基づいて、何をしたのか。次の平岩外四も歴史に名を残す人物ですが。

斎藤――愛弟子の平岩は財界一の知性派と言われました。本の重みで自宅が傾いているという伝説があるくらいです。平岩に仕えた経団連の秘書の方に話を聞いたことがありますが、「あの話は俺が作ったんだ」と言っていました。知性派で、謀略の現場の位置にいた。若い頃にフォード財団との結びつきがあり、最後までアメリカと非常によい関係というか、アメリカの意思を日本で実現するための人たちでもあったと思います。

前田――平岩外四（1914〜2007年）は、1971年に東京電力常務、74年に副社長を経て、76年に木川田の後任として社長に就任しました。84年に会長となり、93年に相談役です。電気事業連合会会長、国家公安委員会委員、経済審議会会長、産業構造審議会会長、宮内庁参与を歴任しました。90年から94年まで経団連会長を務めました。

木川田が勲章を辞退したのに対して、平岩が3度も勲章を受章したことが有名です。国家の都合、権力の価値観で、勲章に等級を付け、序列をつける。経営者として活躍し、功成り名を遂げた人物が権力から褒めてもらいたいという心理を利用した支配のシステムと言えます。

斎藤――勲章を全否定するつもりはありませんが、民間人が国家の価値体系にからめとられ、序列化されるのは愚の骨頂だと思います。

前田――木川田、平岩それぞれが原発政策ではどういう役割を担ったのでしょうか。

斎藤――木川田は当初原発にはあまり乗り気ではなかったと言われていますが、原発を最初に導入した時のトップなので、推進したのは確かです。平岩は知性派であったが、原発に対して懐疑的な発言をしたことはありません。

前田――次に、3・11の時の勝俣恒久、清水正孝――まったく違う意味で歴史に名を残すことになった2人について少しお願いします。

斎藤――直に取材してないので大体皆と同じことしか言えません。勝俣まではいわゆる東京電力らしいエリートでしたが、清水になるとガクッと落ちます。社長になるまでのキャリアも大したことないですし、社長になった後のエピソードも知れています。勝俣が北京事務所に行った時も奥さんと旅行していた。普通は、原発を持っている時点で、会長と社長の2人が揃って本社を離れているのはおかしい。タガが緩んでいたのは確かだと思います。

前田――東電幹部の刑事責任を問う刑事裁判では、清水正孝社長が起訴されていません。被告人とされたのは、勝俣恒久・元会長、武藤栄・元副社長、武黒一郎・元副社長の3人です。清水は福島第2原発の総務担当だったことがあるとは言え、資材部畑の出身で原子力部門の出身ではなかったこともありますが、東電社長としての才覚も権限もなかった。義理の父親の勝俣会長が「院政」を敷いていた。何もできない人だから刑事責任を問うのは酷だという話です。

排除の系譜と犠牲のシステム

前田——斎藤さんは「排除の系譜」という言い方をしています。東電の体質がそうであるし、東電に代表される日本企業の体質でもある。

斎藤——排除の系譜というのは、典型的にはさっきお話ししたＴＣＩＡの活動です。逆らう人間の存在を許さない日本社会の構造です。反原発の学者は絶対に出世できない。マスコミでも外される。電力会社からの寄付金、広告料に目がくらんでいることが大きいです。反原発の人は決して少数派ではないのに、それでも逆らう人間は排除される構造ができています。

前田——１９８０〜90年代でしょうか、各地の電力会社で排除され、冷遇された人たちが「思想差別裁判」を闘っていました。排除の系譜は電力会社にも、外部にも確認できます。関電思想差別裁判や中電思想差別裁判がありました。中電思想差別裁判の原告だった塩川頼男（故人）と、私はジュネーヴ（スイス）の国連人権委員会で長年ご一緒しましたので、裁判の話をよく伺いました。排除の系譜と同様の議論として、斎藤さんは哲学者の高橋哲哉（東京大学教授）の「犠牲のシステム」論を引用しています。『犠牲のシステム――福島・沖縄』（集英社新書）や、高橋哲哉・前田朗『思想はいまなにを語るべきか――福島・沖縄・憲法』（三一書房）で語られた「犠牲のシステム」論です。電力の周辺には排除や差別や犠牲が見事に配備されています。

斎藤――犠牲になるのは原発立地地帯の周辺の住民になるのですが、事実たくさんの人が犠牲になり、被ばくをして子どもたちが癌になったりしています。自殺に追い込まれた人もいます。市民運動や一部マスコミも頑張ってはいますが、その人たちに対する配慮が、社会全体にない。この国の仕組みが、全体の利益のためであれば多少の犠牲は当然だ、我慢しろという体制です。原発差止訴訟の多くの判決は原告側が主張する危険性を認めつつも「我慢できる範囲だ」などとしている。福井県の大飯原発訴訟では、地裁の裁判官が非常によい判決を書いてくれたのですが、名古屋高裁に行ったら一転、その間にできた原子力規制という新しい安全基準にかかっているので問題ないと却下してしまった。机上の空論を振り回し、ハナから危険性を認めない。

前田――原発関連訴訟の中で、避難者の訴訟では、国相手でも東電相手でもそれなりに原告勝訴判決が出ています。福島原発かながわ訴訟では、２０１９年2月21日、横浜地裁は、２００９年9月時点で、国は東電から８６９年の貞観津波を考慮した津波計算の報告を受け、福島第1原発の敷地の高さを超える津波による事故の発生を予見できたと指摘し、電源設備の移設によって大量の放射性物質の外部放出を回避できたにもかかわらず、国が規制権限を行使しなかったのは「看過しがたい過誤、欠落があった」と断罪しました。

賠償については、帰還困難区域、居住制限区域、避難指示解除準備区域からの避難者に対する「ふるさと喪失慰謝料」の支払いを命じ、国の中間指針に最低50万円、最高４５０万円の上積みを認めました。全国約30ある集団訴訟で、国を被告にした6件の判決のうち国の責任を認めたのは5件目となりました。

２０２０年9月30日、仙台高裁は福島原発事故被災者の訴訟で、国と東京電力に損害賠償支払いを命じました。全国の集団訴訟で、国の責任を認めたのは高裁としては初めてです。

斎藤――原発訴訟を取材して痛感したのは東京大空襲訴訟と同じだということです。東京大空襲の犠牲者とその遺族たちが国に対して損害賠償を払えと訴訟をずっと起こしている。国側の主張は「受忍限度論」と呼ばれます。「戦争に関しては大なり小なり被害を受けている。それは空襲被害者だけではない、だからお前たちは我慢しろ」ということでした。なぜそのような訴訟が起きたかというと、戦死した軍人には多額の軍人恩給が出ます。被害が出たらその分出る。しかし民間人が被害に遭っても何も出ない。それはおかしいだろうと訴訟を起こすのですが、「民間人は文句をいうな」というあからさまな理屈です。

前田——米軍基地や自衛隊基地の騒音訴訟でも、裁判所は「受忍限度論」を安易に使います。生活被害を受けてきた住民は「我慢できない」と言っているのに、勝手に「受忍限度内だ」と決めつける。

斎藤——類似のロジックが原発差止訴訟で必ず使われる。沖縄の基地問題でもそうですが、迷惑施設が作られているのは、元々弱い人たちが住んでいる所です。沖縄であればかつての琉球王国、いわば植民地です。そういう所の奴は我慢しろという理屈が平気で登場する。

前田——福島原発訴訟では、さすがに露骨な受忍限度論は背後に退きましたが、国の責任を認めない判決もあります。東電に命じた賠償額も低すぎます。東電を中心とした日本企業の体質が排除の系譜をつくり、犠牲のシステムを生み出して人々の暮らしを破壊していった。非人間的な、絶望的な社会が浮き彫りになります。

第4章　戦争経済大国の実像
――朝鮮戦争、ベトナム戦争、高度経済成長

高度経済成長とは何だったのか

前田――戦争経済大国という観点で現代社会をもう一度見直す作業をはじめた経緯について確認させてください。問題意識を、斎藤さんのジャーナリスト人生の中で少し語っていただきます。戦後民主主義や平和主義の歴史にどういう風に向き合ってきたかを少しお願いします。

斎藤――私は東京・池袋の出身です。父は戦争中に関東軍の特務機関に居りまして、戦後はシベリアに抑留されて、11年間抑留された最後の帰還兵の一人でした。１９５６（昭和31）年に帰ってきて、翌々年に私が生まれました。今「サンシャインシティ」になっていますが、当時は東京拘置所があり、その昔は巣鴨プリズンだった所です。

前田――巣鴨プリズンというのは、日本の戦争犯罪人を裁いた東京裁判（極東国際軍事裁判）の

時に、被疑者・被告人が身柄拘束された場所です。日本の国家権力が作った施設に、日本の権力者が収容されました。東京裁判終了後は東京拘置所に戻りましたが、後に拘置所は小菅に移転しました。跡地が再開発されて、サンシャインシティになりました。

斎藤——そこから私の家は2、3百メートルしか離れていなかった。池袋も戦時中に焼け野原になって政府が全て乗っ取ってしまった街です。街そのものも家庭も、戦後13年経って生まれた私ですが、同じ世代よりも戦争の影をずっと背負っていた。私は体が大きな方ではなかったので、豊島区が千葉県の内房海岸で運営していた全寮制の小学校に半年だけですが寄宿しました。竹岡養護学園といいます。家は鉄くず屋でしたから決して裕福ではありませんでしたし、「汚い仕事」と見られたりしましたが、楽しい少年時代を過ごしました。

40歳の頃、東京新聞に「わが町わが友」というコーナーがあって、連載を頼まれました。それぞれの執筆者が東京体験を書いていくものです。私は東京育ちなので少年時代の話がそのままネタになるのです。最初は子ども時代いかに楽しかったかなんて話ばかり書いていたのですが、ある時ふとキーボードを打つ手が止まりました。父親がシベリアから帰ってきて特に貧乏もしないで生きて来れたのは日本が高度成長していたお陰だ、だから経済的に豊かでなくとも大学まで行くことができた。結果的に好きな仕事に就くこともできたのだ。

そう考えた時に、戦後の経済成長とは何だろうと思った。まず思ったのが、当時、竹岡のような養護学園を設営していたのは東京23区、しかもそのうち17区だけだったのです。他の地方で私と同じように体が弱い子がいても、その子は療養できない。東京の子だけの「特権」でした。逆に各地に水俣病など恐ろしい公害があったのに、東京にはなかった。これは何だろう、結局金かと思いました。

日本の高度成長はどのようにもたらされたのか。NHKの「プロジェクトX」によれば、日本人が勤勉で努力をしたから成長した。それも嘘ではありませんが、結論からいうと、実は朝鮮戦争やベトナム戦争で漁夫の利を得て、日本は経済大国になった。

そう感じた一つのきっかけは、作家の辺見庸さんがアメリカの最高の知識人と言われているノーム・チョムスキーに会いに行った時のことがあります。

前田――チョムスキー（1928年～）は言語学者、政治批評家です。『文法の構造』『言語と精神』など言語学研究で有名です。アメリカ政治に対して厳しい批評精神をもって対峙してきました。近年の著書に『アメリカの「人道的」軍事主義』『テロの帝国アメリカ』などがあります。

辺見庸（1944年～）は共同通信記者を経て、作家、詩人です。『自動起床装置』で芥川賞、『もの食う人びと』で講談社ノンフィクション賞を受賞。評論活動も旺盛で、『永遠の不服従のために』『抵抗論――国家からの自由へ』『1★9★3★7（イクミナ）』などがあります。

斎藤――辺見は2003年のイラク戦争の時に『月刊プレイボーイ』の仕事で会いに行き、そこで辺見は持論を述べます。日本は憲法を変えようとしている、戦争ができる国になろうとしていると言って同意を求めたところ、チョムスキーが鼻で笑った。今頃あなたは何を言っているのだというわけです。日本なんていうのは元々アメリカの戦争にくっついておこぼれをもらってきた国ではないか、今になって言っても遅いと言われた。そのことを辺見は書いていた。

憲法9条をめぐる嘘

斎藤――もう一つ、あるシンポジウムで漫画家の小林よしのりと一緒になりました。彼はご存知の通り『戦争論』で有名になり、右の言論人のようになっています。

前田――小林よしのり（1953年〜）は『東大一直線』『おぼっちゃまくん』などのヒット作で有名なギャグ漫画家でしたが、1992年にはじめた『ゴーマニズム宣言』以来、政治社会問題の批評家としても活躍しています。

斎藤——彼はしきりに「戦後の憲法9条は欺瞞である」と述べていました。私は9条は大切であると思うし、どんなことがあっても守りたいと思いますが、今までの9条が「欺瞞」であったことは間違いない。アメリカの戦争のおこぼれで食ってきた。日本はアメリカ軍の基地だし、あらゆる機能が戦争のために提供され、その見返りとして日本は儲けさせてもらった。小林は9条など意味がないので改正しろと言い、私は今度こそ本物にしようという立場なのですが、欺瞞ということでは共通意識がありました。

前田——憲法9条が嘘をついたのではなく、自民党政権が嘘をついてきたわけです。平和運動の側はその嘘を批判してきました。とはいえ、嘘をついた自民党が長期政権を担っているということは、国民の多数がその嘘を受容してきた。

斎藤——これが2000年代半ばでした。自分は物書きなので、きちんと取材し一冊にまとめようと考え、講談社の『月刊現代』に連載をしたのが08~09年です。テーマが大きいので、すぐ本にすることができませんでした。その後の動きもフォローして雑誌に発表していました。そのうちに講談社が、ここ数年態度が変わってきました。自分でいうのもなんですが、理屈のついてくるノンフィクションなんかもう要らない、と言われているような気がしたものです。講談社には書く場所がなくなり、最終的に河出書房新社に行くことになりました。講談社は日本最大の出版社ですが、いつの間にかネトウヨ本を出すようになってしまっています。

前田——歴史認識問題や東アジアの国際関係に関して、講談社の出版物の中には、驚愕するような低レベルのものが増えてきました。「講談社おまえもか」という感じです。

斎藤——他にも文春や新潮とか事件がありましたが、そのようなマスコミ状況の中、なかなか本を作れないまま来ました。

前田——日本文化を支えてきた一流出版社が、今やヘイト本を続々と出版しています。マイノリティや外国人を差別し、諸外国を見下した本が売れる。知性も倫理も投げ捨てて、恥ずかしくないのかと思うことが増えてきました。それでは「戦争経済大国」に入っていきます。

ハイエナ企業の歌

前田――まず、ハイエナ企業審査会のことを伺います。71年4月にハイエナ企業市民審査会がハイエナ企業批判の歌をつくりました。「ハイエナ企業」というタイトルで、こういう歌詞です。

ニクソンの汚いベトナム戦争でハイエナ
日本の会社は後からついてハイエナ
血まみれのドルを鷲掴みハイエナ
ホンダはハイエナ、ナショナルハイエナ、ソニーはハイエナなのだ
ハイエナ　ハイエナ　うーイエイ

斎藤――ベトナム戦争当時、ベ平連（ベトナムに平和を！市民連合）をはじめとする色々な反戦運動がありました。その中に朝鮮問題で有名な和田春樹さんたちが作っていた、ベトナム戦争に反対し、朝霞基地の撤去を求める大泉市民の集いという団体があったんです。

前田――和田春樹（1938年〜）は歴史学者で、戦後補償運動をはじめとする市民運動に加わってきたことでも知られます。朝鮮史では『韓国民衆をみつめること』『朝鮮戦争』、領土問題については『北方領土問題を考える』があります。60年に東京大学を卒業して助手、68年に助教

授になっています。68年に公民権運動（黒人解放運動）のマーティン・ルーサー・キング牧師が暗殺されたことをきっかけに、地元・大泉学園で反戦運動をはじめたそうです。

斎藤――大泉学園の近くにある朝霞基地（旧米陸軍のキャンプ・ドレイク、現・陸上自衛隊朝霞駐屯地）の撤去を求める運動が起こった際、このグループの中で、戦闘的なグループが分派みたいなものを作り、ハイエナ企業を弾劾しました。デモ行進の際にこの歌が歌われていた。表現はきついですが、歌詞に最も端的に表れていると思います。

前田――歌詞にホンダ、ナショナル（現パナソニック）、ソニーが出てきます。いわゆる「軍需産業」ではない。他にも三菱重工をはじめとする名だたる軍需産業があります。にも関わらず、このグループは3つの企業を糾弾しています。しかしそれは間違いではない。その具体例として、ソニーのテレビカメラは当時米軍の誘導爆弾に使われていた。軍事転用されていた。軍需産業はもとより高度成長を支えた一般の民間企業、家電なども様々な形で戦争に組み込まれていた。そういうつもりはないと言いながら軍事協力して収益を上げていた。

アメリカの人種主義研究者の清水知久（1933年〜、現日本女子大学名誉教授）も一員だったようです。『アメリカ・インディアン』（中公新書、1971年）の著者です。大泉学園のあたりにいた若い研究者たちの問題意識がここに現れている。ところで、この歌詞のメロディは音源がなく分かりません。和田春樹や清水知久は覚えていましたか。

斎藤——ビートルズの曲の雰囲気だったという話です。メロディまでは確認できませんでした。

前田——71年ですから、60年代のビートルズ、ローリングストーンズをはじめイギリスのポップスが日本では流行っていました。抒情的な「ミッシェル」や「イエスタデイ」ではないでしょうから、ロック調の「カム・トゥギャザー」を使ったのでしょうか。

さて、そういう視点から見た時に、戦後高度経済成長はどのように成り立ったのか。占領下におけるアメリカからの経済援助・物資援助がありますが、そこから日本経済がテイクオフしていくプロセス、最初のジャンピングボードになったのは朝鮮戦争です。

東京タワーから考える

斎藤——東京タワー（日本電波塔、1958年12月23日竣工）に使われている鉄骨は、朝鮮戦争で破壊された戦車を溶かしたものです。何年か前に西岸良平の漫画『三丁目の夕日』が映画化されて大ヒットしましたが、私たちは東京タワーが建てられた58年頃を古きよき時代として懐かしみます。でも、私の個人的な感情ではありますが、これはよく考えると戦争そのものだった。隣の戦争で儲けて、その鉄材で首都のシンボルタワーを作った。これは象徴的な出来事だと思いました。

前田——東京タワーを子ども時代に見ていた。その頃に生まれて小学校時代に無邪気に見ていた。私は札幌生まれですので、テレビで東京タワーを見ています。高さが333メートルで、パリのエッフェル塔よりも高いと知って、喜んだ記憶があります。しかし、それは朝鮮戦争から来ている。高度経済成長の下で作られた諸々の社会資本はどこかで戦争とつながっている。東京タワー、60年代では新幹線をはじめ日本のシンボルとなったものをどう見るか。

斎藤——私はもとよりその問題を知ってはいました。朝鮮特需があり、焼け跡になった日本経済の復興が始まったという教科書的知識はありました。最初に違和感を持ったのは確か22～23歳の頃です。『日本工業新聞』というフジサンケイグループの新聞で鉄鋼業界担当記者をしていました。経団連ビルの中にあった鉄鋼業界の記者クラブに各社の社史が置いてあります。担当記者ですからそのあたりを勉強します。どの会社の社史にも「わが社の戦後は朝鮮特需とともに始まり、大儲けし、今日の基盤が構築された」といった記述があります。

客観的事実なので書いてもらって結構、なかったことにされては困るのですが、そこには全く痛みが感じられない。隣の国で何百万人もの人が殺され、南北に分断されて、今もなお続いている。その戦争で大儲けして万歳をし、手放しで社史に書き込んでいる。

その頃大儲けしたのは鉄鋼業界だけではありません。日本中が沸きに沸いたと、戦後経済史の本を読むと書いてあります。たとえば日銀総裁が「干天の慈雨」――乾いたお天道様から恵みの雨が降ってきたなどという。「朝鮮戦争万歳は日本中を覆っていた」という記述がいくつもあります。

前田――後に歴史の話として書かれたのではなく、その当時に当事者が体験的に書いていた。

斎藤――これはおかしいと思いました。この間まで自分たちが戦争に行きひどい目にあい、最後は東京大空襲、広島長崎には原爆も落とされ、戦争はもう二度としませんと憲法を作ったはずなのに、自分たちが攻撃されない戦争には大喜びしてしまう。この感覚は何なのかと思った。

私の家は鉄くず屋でしたが、父がシベリア抑留から帰ってきたのが１９５６（昭和31）年、朝鮮戦争休戦後なので直接それで儲けたことはない。だから堂々と言えている部分もあります。

ただ第2次大戦で破壊されたとは言っても、日本は東アジアでは数少ない工業国ではあったので、朝鮮戦争の需要は武器弾薬だけではなく、色々な兵器に使われる鉄鋼、その他はジャングルで履く靴（ジャングルシューズ）に使われる化成品をはじめ繊維などが多く売れました。54年から57年にかけての神武景気が有名ですが、当時、「ガチャマン景気」という言葉があった。繊維の機械をガチャンと一回動かすと万札がたくさん入ってくるという意味です。「金へん景気」や「糸へん景気」などもありました。金へんは金属、糸へんは繊維。そういうものがそれまでの長期の不況から一気に脱出する好景気になった。朝鮮特需の特徴は「直接特需」です。朝鮮半島で実際に戦争がらみで使われる需要に供給する物。日本の企業に対しては在日米軍の司令部が元締めになって発注していた。商社や企業が日参をして注文をとっていた。

前田――座間の米軍司令部に国連旗が掲げられているのはなぜか。正式の国連軍ではないと言いつつも、国連軍の形式をとり朝鮮戦争が行われた。2007年までキャンプ座間には国連軍後方司令部なるものが存在しました。その後は横田基地に移転しましたが。

人材育成コンサルタントの辛淑玉さんは、酷いヘイトスピーチ被害のため、今は日本から逃れてドイツにいますが、彼女は『鬼哭啾啾――「楽園」に帰還した私の家族』（解放出版社）をはじめとする著作で、個人史を在日朝鮮人史と重ねて書いています。彼女がいうには、朝鮮戦争の時に日本社会も貧しかったが、在日朝鮮人はそれ以上に貧しい底辺に置かれていた。鉄くず拾いをしていた。その鉄くずが鉄工所に行き、最終的に米軍の弾丸となり朝鮮戦争に使われるという経済構造になっていた。わかっていたが、食べていくために鉄くず拾いをせざるをえなかった。それを在日社会は反省していないと、辛淑玉さんは厳しく受け止めています。

日本人はそんなに苦労しなくて済みました。それはなぜなのか。在日朝鮮人が嘗めた辛酸を日本人は経験していない。それどころか「干天の慈雨」と言って喜んでいた。このことを突き付けられると、返す言葉がなくて「勉強させてください」としか言えません。恥ずかしい話です。

掃海艇と名誉ある地位

斎藤——1950年に朝鮮戦争が始まり、まだ自衛隊がありませんでしたが、海上保安庁が参戦しています。北朝鮮（朝鮮民主主義人民共和国）と韓国——韓国には国連軍がついて戦争していました。米軍が日本に掃海艇を出して欲しいと要請を出してきました。掃海艇とは機雷を除去する設備を持った船です。旧日本軍の掃海艇が戦後は海上保安庁の所有となり、日本近海にまかれた機雷を掃海していたのですが、50年頃になるとその仕事もなくなり、隊員たちは失業の危機に陥っていた。

そこに米軍から朝鮮半島周辺の機雷を除去してほしいと頼まれた。日本の掃海艇が機雷を除去し、米軍は安全になった海から上陸して侵略していく作戦でした。いくつもの隊が出来て、1950年の秋口に北九州の門司港に掃海隊が集結し、朝鮮半島めがけて出発していきます。いくつもの海域で掃海活動をしたのですが、最も有名なのが元山《ウォンサン》という大きな港町です。この港で活動した掃海隊の一つが機雷除去に失敗し、沈没しました。日本の船員が一人亡くなっていいます。戦後初の「戦死」ということになりますね。その屍を横目に米軍が上陸して、元山上陸作戦が成功しました。

日本は戦争をしていないと言ってきたが、こういう形で戦争をしていた。その事実もさることながら、私がショックだったのが、その時に海上保安庁が隊員たちに投げた「檄文」です。

船員は戦争が終わった後もなぜ戦場で掃海をしなければいけないのかと思っていました。仕事がなくなるのは困るが、他国の戦争を手伝うのは嫌だという気持ちの中、海上保安庁長官の「この行動によって我が国は国際社会の名誉ある一員になれる」という言葉が届く。

この「国際社会の名誉ある一員」とはよく考えると今の日本国憲法の前文です。憲法前文の第二段落第二文です。

「われらは、平和を維持し、専制と隷従、圧迫と偏狭を地上から永遠に除去しようと努めてゐる国際社会において、名誉ある地位を占めたいと思ふ。われらは、全世界の国民が、ひとしく恐怖と欠乏から免かれ、平和のうちに生存する権利を有することを確認する。」

私たちは、昔の大日本帝国の時とは違い、戦争をしない平和国家だから国際社会の名誉ある一員になっていると考えます。ところが、この時点ですでに「アメリカの戦争に参加することがすなわち国際社会の名誉ある一員なんだ」という解釈がなされていた。これは、安倍首相が言っていることと同じです。憲法は欺瞞であるという解釈になる。元山作戦を成功させた少し後に、52年4月28日、サンフランシスコ講和条約が結ばれます。全面講和か片面講和かという議論がありましたが、片面講和、つまりアメリカ側、西側の一員になった。そう考えると長官の言葉もおかしくないことになります。

朝鮮戦争で日本が儲かったのは偶然の産物ではありません。48年にはアメリカでロイヤル陸軍長官が一つの演説をしています。これから東西冷戦が激しくなる時期です。49年に中華人民共和国が成立する。

日本を「反共の防波堤」にする。そのために日本の工業力を高め経済力を強めていくことがアメリカにとっての利益だと発言しています。その後の高度経済成長はアメリカのシナリオ通りであった。きっかけが朝鮮戦争、そして漁夫の利だけではなく、自らも血を流せと、戦争をする流れが警察予備隊や保安隊を経て現在の自衛隊になっていきます。

ベトナム特需の広がり

前田――ミッチーブーム、東京タワー、東京オリンピック、新幹線、大阪万博――高度経済成長という資本主義の陽の当たる部分を私たちは見てきましたが、下部構造は常に戦争と結びついていた。最初の大きな波が朝鮮戦争、続いてベトナム戦争に入ります。朝鮮特需と同じように「ベトナム特需」になります。規模はいっそう大きなものになっていた。そこで、まずベトナム戦争の記憶を伺います。60年代後半から70年代初頭、斎藤さんが小中学校の頃です。

斎藤――どちらかというと成熟の反対で、奥手でしたので、あまり物事を考える子どもではありませんでした。テレビを見るとベトナム戦争のことばかり放送されていて、新聞でもベトナム戦争のことが載っていたり、漫画にもベトナム戦争がらみの話がよくありました。

前田――漫画ですか。後にギャグ漫画家としてブレイクする山上たつひこの『光る風』はベトナム戦争における枯葉剤作戦を批判していました。

斎藤――『サイボーグ００９』にもよくベトナム戦争が出てきました。

前田――『サイボーグ００９』は石ノ森章太郎のＳＦ漫画です。60年代後半のＳＦ漫画を代表する作品です。

斎藤――人気漫画でしたから、ベトナム戦争はとんでもない、やめなければならないことはわかりました。でも、日本が直接かかわっている認識は乏しかった。幼かったことと、有能ではなかったこともありますが、メディアも日本がどのように関わっていたかは報じていませんでしたね。先ほどのハイエナ企業の件は私の認識に近いと言いましたが、それはあくまでもソニーが武器に使われていた。ホンダは南ベトナムに進出し大量にオートバイを売った。戦争でバイクが必要だから売った。直接特需の話題に限られていました。べ平連にしても三菱重工に対して株主運動をしたり、直接特需の産業や直接特需で儲けた会社に抗議活動をしていました。

前田――戦争で酷い目に遭ったという被害者意識だけでなく、かつて加害をしたのに、ベトナム戦争に協力して金儲けをしてよいのかと、加害責任を問いはじめた。

斎藤――それは正しいのですが、ベトナム特需はもっと広い概念なのです。私が最初に考えたのは、子どもの頃いかに戦争の恩恵で育ってきたかですが、それはベトナム戦争のことです。朝鮮戦争については後で考えることになりました。

ベトナム戦争が始まる前と終わった頃の輸出を統計で見ますと、東南アジア市場向けが65年に5億5、286万4千ドルだったのが、6年後の71年には11億8、368万7千ドルと約2倍に増えている。東南アジア向け輸出は、ベトナムで戦争をしてるので伸びることはわかりますが、それより大きいのが、北米市場向けが65年に7億7、661万3千ドルが、71年には45億9、476万2千ドルと約6倍に増えています。

主に機械の輸出です。東南アジアで機械の輸出が多くなるのは朝鮮特需と同じですが、加えてアメリカ市場を日本のために開放してくれた。日本のために開放したのではなく、アメリカの生産能力がベトナム戦争に食われた。アメリカ国内で使われる民生品の需要を賄うことができなくなった。同じ機械や電気製品をヨーロッパ大陸でも生産できます。大西洋は太平洋より狭いので輸送コストが安くつくとはいえ、ヨーロッパ製品の方が値段が高い。日本製品は粗悪な部分があるが安く手に入るので、船代が少し高くてもアメリカ人は日本製品を買ったから、日本からの輸出が激増したのです。

前田――事後的に確認できたことでしょうか。当時の関係者はどのように見ていたのでしょう。

斎藤——当事者に近い人はどのように思っていたのかを聞きたくて、ベトナム戦争当時の通商産業省貿易局で中枢にいた人に話を聞きました。

「我が国が成長した理由はふたつある。ひとつは我が省の産業政策、もうひとつは経済以外の要因だ。つまり戦争です」と言って、ベトナム戦争について話してくれました。貿易の中心人物がはっきり認めてくれた。北米市場向けですから、戦地に持っていかなかったので直接特需ではない。これを「間接特需」と言います。東南アジア向けでも、ベトナムだけではなくタイやフィリピンにも輸出しました。タイやフィリピンの工場で作られたものがベトナム戦争に使われた場合もあり、特需景気が増えていき、新しい需要が増え日本から行った可能性もある。このためベトナム戦争は間接特需が多い。経済学者の分析法にはなじまないし、朝鮮戦争の頃より戦争に直接かかわるのはよくないという認識が高まっていた分、直接関わっていたことを報道したり学説にしにくかった。通産省が戦争のおかげと認めるほど、「高度経済成長＝戦争のおかげ」であったのに、そうした論調や報道はほとんど見かけない。

日本のタブーは色々ありますが、ベトナム戦争と高度経済成長の関係こそ一番のタブーであり続けていると私は考えます。

ベトナム反戦――加害責任を考えはじめる

前田――べ平連をはじめとして様々な反戦運動がありましたが、私も中学の頃、小田実の『難死の思想』（文藝春秋）に接しました。大江健三郎の『ヒロシマ・ノート』（岩波新書）や『沖縄ノート』（岩波新書）も高校の図書館で読みました。

70年前後に流行したフォークソングでは、反戦ソングが多く出ていました。寺山修司作詞の「戦争は知らない」、ジローズの「戦争を知らない子供たち」、五つの赤い風船の「血まみれの鳩」、岡林信康の「戦争の親玉」――これはボブ・ディランから来ています。ボブ・ディラン、ジョーン・バエズ、ピーター・ポール＆マリー（ＰＰＭ）の反戦歌は有名でした。ジョン・レノンも反戦運動に直接加わって歌いました。

斎藤――「戦争を知らない子供たち」はすごく好きでした。北山修作詞、杉田二郎作曲で、70年の大阪万博のコンサートで発表された歌ですから、中学生になった年です。

哲学者の高橋哲哉さんと対談本を出した時に編集者と3人で飲みに行きました。カラオケで歌ったところ、高橋さんに「加害責任はどこに行ったのだ」と叱られた（笑）。

前田――高橋哲哉・斎藤貴男『平和と平等をあきらめない』（晶文社）ですね。高橋さんは『戦後責任論』（講談社）、『靖国問題』（ちくま新書）などで責任をめぐる考察を深めました。アジアの被害者の声に応答する責任を考えるべきで、「戦争を知らない子供たち」では済まない。

斎藤――戦争を知らないで育った子どもたちと言っても、本当は関わっていたのではないか。戦後の日本と戦争の関わり方は直接的ではないので非常にややこしい。実際その意識があった場合、戦争に関わる仕事はしないことはできるかと言えば、なかなかできない。実際、何が何のために使われているのかなんてわかりません。

前田――後に頭脳警察というグループが「戦争しか知らない子供たち」と歌いました。72年のアルバム『頭脳警察1』に収録されています。

斎藤――私がこういうことを言っているのは、過去を糾弾しているのではなく、事実をなかったことにしてはいけないからです。それをどう表現するかは次の段階ですが、いま憲法改正問題などが提起され、議論されていますが、過去の事をわかった上で行うべきでしょう。「戦後は憲法9条があって平和だった、それが正しい」と考えがちだけど、それは少し違う。

前田――あの時代に日本の加害責任を厳しく問いかけたのは「東アジア反日武装戦線」ですが、それ以前に、65年の日韓条約締結問題や、在日朝鮮人・中国人の在留資格が議論された際に、日本の加害責任が浮上していました。

70年の「華青闘告発」が有名です。70年7月7日に開催予定の「盧溝橋33周年・日帝のアジア再侵略阻止人民大集会」準備過程で、当時の新左翼運動が入管法反対運動をスルーしたことを批判して、華僑青年闘争委員会（華青闘）が「新左翼もまたアジア人民に対する抑圧者である」と指弾したことを受けて、日本側でも加害責任を問い直す動きが始まりました。斎藤さんは三菱重工爆破事件に言及されています。東アジア反日武装戦線は、第2次大戦における日本の加害責任を問い、経済成長期の海外進出をアジア侵略と捉えて、74年8月30日、丸の内の三菱重工爆破事件を起こしました。人々を殺傷する事件だったため、国内では単なる凶悪事件にされ、問題提起を受け止めることにつながらなかった。

斎藤――高校生の時でした。一番遊んでいた時期なので何も考えていませんでした。後で振り返ると、彼らの考えたことは途中までは間違っていなかった。三菱重工の本社ビルを爆破してしまうという発想は論外ですし、8人の死亡者、数百人の負傷者を出したわけで、非難されるのは当然です。ですが、企業責任を批判したのは根拠のあることです。当時ベトナム戦争に反対した人たちはアメリカを批判し、佐藤栄作首相を糾弾しようということでした。ハイエナのような利益を上げている巨大企業に対する怒りを持って、経済構造に目を向けたのは根拠のある考え方だったと思います。

前田――日本におけるテロの歴史に刻まれています。70年前後はいわゆる新左翼・過激派のテロと、他方で三島由紀夫の自衛隊市谷駐屯地事件も起きています。

斎藤――彼らがあそこまで先鋭化したのは、反戦運動の問題点の合わせ鏡と言えます。反戦運動の中心は市民運動だったり労働組合だったりですが、結果的に戦争からおこぼれをもらっていたのは労働組合もそうでした。

市民生活もその過程でどんどんよくなっていった。企業別労働組合であったので従業員の生活に直結していました。社宅を建ててもらい、誰も彼もが会社人間になっていく。「社畜」になっていく。おこぼれ特需景気を疑問視する運動はほとんどありません。だから新左翼のやり方が過激になってしまっていったのではないか。

架からなかった虹

前田――東アジア反日武装戦線やそれに連なる人たちがターゲットにしたのは、一つはベトナム戦争で儲ける大企業で、代表とみなされた三菱重工です。日本の侵略を反省していない、アメリカの戦争に賛成し、特需で潤っている。それで彼らは東アジアとの連帯を掲げつつ、爆弾闘争を展開しました。東アジアとの連帯と言っても観念的だったと言われますが、そこから連帯運動をつむぐ流れができた。東アジア反日武装戦線への死刑重刑攻撃とたたかう支援連絡会議編『あの狼煙はいま』（インパクト出版会）、松下竜一『狼煙を見よ』（読売新聞社）があります。

もう一つターゲットにしたのが旧日本軍のために作られた慰霊碑、顕彰碑です。侵略イデオロギーの「八紘一宇」の思想を唱えるような施設を狙った。もう一つ、シャクシャイン像があります。風雪の群像・北方文化研究施設爆破事件が知られます。アイヌ民族に対する差別を告発するためです。北海道１００年を記念して日本人側が作った「風雪の群像」や、北海道大学の北方文化研究施設を標的にしました。

そういう流れの中で東アジア反日武装戦線がやろうとしたのが「虹作戦」です。これまた辺見庸に繋がってきます。辺見庸が虹作戦にこだわり続けたのは有名です。

虹作戦というのは昭和天皇暗殺計画です。74年8月14日、東アジア反日武装戦線が、天皇お召列車に対して爆弾を仕掛ける作戦で、実行寸前まで行ったが、当局に把握されて撤退した。この時に用意した爆弾が、2週間後に三菱重工爆破事件で炸裂することになります。桐山襲の『パルチザン伝説』（作品社）は小説ですが、事件を見事に描いています。
辺見庸は東アジア反日武装戦線の大道寺将司の獄中俳句の出版に際して、様々な文章を寄せていますが、その中で「虹を見たかった」と書いているのです。

斎藤——朝鮮戦争は占領下でした。ベトナム戦争は占領下ではなかったが、事実上占領下と変わらなかったことがよくわかります。64（昭和39）年、東京オリンピックの年に、生存者叙勲が復活します。戦後は中止されていましたが、64年に復活します。戦前戦中は軍人とか、政治家、官僚などほとんど「官」の人に限られていた。

前田——天皇の官吏ですね。

斎藤——生存者叙勲から大きく変わったのは、民間の財界人に高い勲章が授けられるようになったことです。そして、旭日大綬章という、後に経団連会長とか、中曽根康弘首相とかのクラスの人がもらうような勲章が、カーチス・ルメイ空軍大佐に与えられた。ルメイは東京大空襲、大阪大空襲の指揮官で、広島原爆にも深くかかわっていました。その人に天皇が旭日大綬章という最高の勲章を授与した。強い反発を持った人もいるとは思いますが、なぜか大きく報道されるわけでもなく今日に至っています。叙勲の理由は、航空自衛隊の育成に貢献したということです。私は自衛隊幹部に聞きましたが、航空自衛隊の育成に協力した軍人は他にいる、ルメイはほとんど関係ないということです。政治的な理由で授けた。この時に日本は文字通りアメリカの「属国」になった。

前田——東京大空襲で10万人が殺され、広島長崎に原爆を投下されたのに、「ありがとう」という意思表示です。「天皇の赤子」を大虐殺した人物に感謝して勲章を授ける。政治的にも信じがたいことですが、まさに腐っています。

斎藤——ベトナム戦争で日本はアメリカの兵站基地だった。沖縄から爆撃機B—52が飛んでいた。私たちは沖縄を被害者であり、「かわいそうな島」とばかり見がちですが、ベトナムから見れば「悪魔の島」に他ならなかった。私たちが沖縄を加害者にさせてきた。神奈川県座間市にある米陸軍キャンプ座間、そのそばにある相模原総合補給廠という修理所から修繕された戦車が運ばれ、ベトナム人民を踏み潰す。日本人の船員が日本のＬＳＴ（戦車揚陸艦）で運んだ。

前田――相模原総合補給廠から横浜港へ向けて戦車が運ばれる。神奈川の反戦運動の人たちは、これを止めようと路上封鎖し、実際に100日間でしょうか、止めました。その時の歌が「戦車は動けない」（作詞門倉訣、作曲青山義久）です。横井久美子さんはベトナムでも歌いました。

戦車は動けない
このまちの橋をわたって
銃口をベトナムに
子どもらをねらいうつ
戦争は通さない
戦車は動けない

自衛隊海外派兵の野望

斎藤――ベトナム戦争の敗北で、その後しばらくアメリカもあまり表立った戦争をしなくなりました。その代りCIAなど諜報機関による暗殺が横行します。それがイラク戦争あたりで戦争大好きに戻りましたね。70年代末のイラク戦争、その少し前にイラン革命が起きます。パーレビが失脚しホメイニが天下を取る。日本の財界が軍事力の強化を考えるようになったのはこの過程です。なぜかというと当時のイランのバンダルシャプールという都市で、三井物産が合弁でＩＪＰＣ（イラン日本石油化学）という巨大な石油化学コンビナートを建設していました。八割がたできたところでイラン革命が起きます。パーレビ国王は親米的でしたが、革命政権には折角作った工場を国有化されてしまうかもしれない。こういう時、アメリカなら第七艦隊がペルシャ湾に行って、脅す。日本はそれができず悔しい思いをする。しかしホメイニは工場を国有化せず工事が再開しました。そうして九分九厘が出来たところで今度はイランイラク戦争が起こり、イラク軍に爆撃されてＩＪＰＣは破壊されてしまった。おかげで三井物産は巨額な損失を被ったのです。

この時に、近海まで軍隊が出ていきイラク軍に脅しをかけることがアメリカにはできて、なぜ我々にはできないのだという空気が蔓延しました。戦争の加害責任についてはリベラルな発言をしていた稲山嘉寛経団連会長までが、「戦争が起これば儲かる」と言ったのです。

前田――稲山嘉寛（１９０４〜１９８７年）は八幡製鉄を出発点に後に新日鉄初代社長、会長となり、第５代経団連会長になりました。国際協調を重視し、「我慢の哲学」を唱えました。

斎藤――住友金属の日向《ひゅうが》方斉《ほうさい》会長も「徴兵制を検討したい」と発言しています。

前田――日向方斉（1907〜1993年）は住友金属工業社長、会長を歴任し、関西経済連合会会長も務めました。稲山嘉寛に対抗して自由主義経済思想に基づく「競争哲学」を唱えたと言います。日米安保体制の下での軍事化志向には稲山も日向も違いがありません。

斎藤――金儲けのために戦争したいということが日本の財界人の意識に刻み込まれている。漁夫の利を期待出来ないのなら、自前で戦争をすればいいという財界人が、この後はどんどん増えていきます。

92年の湾岸戦争では、クウェートがイラクに侵攻されました。それを多国籍軍という先進国側が叩いた。日本はお金を出したが戦争には直接参戦はしなかったので、先進国クラブの中で白眼視されるようになったといいます。「おかげで商売がやりにくくなった」という財界の主張を、彼らは「湾岸戦争トラウマ」と表現しています。それで国際貢献しなければいけないと言い出しました。世界のみんなのためではなく、西側資本主義圏を一緒に守っていく国づくりをしたい、アメリカの手下になりたい。2002年のアフガニスタン戦争や03年のイラク戦争でも同じ発想が続いた。しかし日本国憲法があるため自衛隊を派遣できない。イラク戦争でも派遣をしたが直接の戦闘行為はしなかった。

これからも経済成長していくためには戦争ができる体制が必要だという認識が支配者層に広がっています。経済成長を絶対的な価値だと見なす前提であれば、「合理的」な発想とも言えます。どうしても戦争はしないという立場であれば経済成長を望まない覚悟が必要になります。

前田――戦争協力体制に風穴を開けるために平和運動は多彩な取り組みをしてきました。相模原工廠で修理された戦車が再びベトナムへ送られる。これを止めたのが神奈川の平和運動でした。みんなで路上に寝っ転がって戦車を止める闘いがありました。加害者になりたくないと頑張った。こういう運動は各地で取り組まれました。被害者になりたくないという意識ばかりだったわけではありません。ただ、全体の見取り図が見えていなかった。

逆のことで言いますと、斎藤さんは『空疎な小皇帝――「石原慎太郎」という問題』(岩波書店)などで、石原慎太郎批判をしてきました。作家で元東京都知事の石原慎太郎(1932年〜)は、ベトナム戦争に従軍して、従軍作家になっていました。その実態を私はよく知りませんが、米軍兵士から「撃ってみないか」と言われて、喜んで撃とうとしたのが石原慎太郎であった。後にジャーナリストの本多勝一(1932年〜)があちこちで語っています。

斎藤——カメラマンの石川文洋さん（1938年～）が止めたので、実際には撃たなかったのですが。私は石川さんにその時の様子を詳しく話してくれと言ったら、それは事実であり、石原慎太郎本人もそのことを書いている。秘密ではないが、あの時に自分と石原さんは間違いなく仲間であった。だから今あなたに詳しく話すことはできないと言われてしまいました。ではありますが、多分に石原という人を表すエピソードであると思います。

前田——その後の従軍作家というのは聞きません。イラク戦争では、作家ではなく大企業の記者たちが従軍記者として参加しました。日本のメディアが米軍とともに行動し、記事を書いた。有名なのは朝日新聞です。米軍が狙った砲弾が落ちて向こうで爆発したとき、「やったー、万歳」と日本の記者が叫んだ。そのことを自分で書いて、これが大きな話題になりました。

斎藤——正確には「『やった』という感情は無意識のうちにわき上がった」という書き方でした。米軍と一緒に行動しているのですから、わからなくもありませんが、率直でありすぎないはしないか。それを載せるデスクや部長も分からない。ちゃんとしたメディアは、記者が書いた記事を何回もチェックするので、どこかで修正されます。それが一面に掲載されてしまった。これはオール朝日の見解といわれても仕方がありません。後に朝日新聞から単行本が出ました。

どうなったかと思って見たら、「私の部隊」という言葉がたくさん出てきた。米軍に肩入れしないように、といいながら、すっかり乗せられてしまっているのです。さらにチェックが入るはずが、その表現が続く。朝日もこうなってしまったのかと絶望的な気分になりました。

悪化する日朝・日韓関係

前田――最後に、東アジアと日本の関係について少し触れておきたいと思います。朝鮮（朝鮮民主主義人民共和国）関連では、２０１８年にトランプ・金正恩会談が始まりました。「対話は意味がない。制裁あるのみ」と粋がっていた安倍首相も慌てて「対話の用意がある」などと言い出す始末です。他方、日韓関係は残念ながら悪化しています。

斎藤――日韓及び日朝の関係がよくなってほしいと願って、民間の市民運動が取り組んできましたが、政府はこの2つの国とは反目し合った状態が望ましいと考えているとしか見えません。

北については「北朝鮮憎し」を擦り込んでばかりです。Ｊアラートなど極端でした。確かにミサイルを撃たれて気持ちよいものではありません。だからと言って、自治体や小中学校で避難訓練と称して北朝鮮憎しを煽るのはどうか。保育園や幼稚園などでも行っていました。

文京区役所で避難訓練しているのを見学しましたが、およそ馬鹿なことをしているとしか思えません。職員や町内会、周囲の会社から集めた人たちを配置しておいて、Ｊアラートが鳴り、区役所の建物の中にみんなが入り地下一階まで駆けおりる。核ミサイルを撃たれてそれで助かるのなら誰も苦労はしない。実態とは関係のない、印象操作としか思えません。

トランプ・金正恩対談で一度は良好な状態になったのですが、安倍政権にとってはそれでは困るということで、今度は韓国を敵にしました。レーダー照射問題で日本政府は躍起になって韓国を非難しましたが、あの田母神俊雄元航空幕僚長は「レーザー照射はよくあることだ」と言っています。日本と韓国は「同盟国」同士ですから。ところが、安倍官邸に言われて、自衛隊がわざわざ映像を公開し、国民の反韓感情を煽った。

前田――双方とも譲らず、非難しあう。その後も「慰安婦」問題、徴用工問題、ＧＳＯＭＩＡ問題、輸出入規制問題へと発展し、いつの間にか泥沼状態です。

日朝・日韓関係の行方

斎藤――安倍政権の考える憲法改正はアメリカの家来としての帝国主義を目指しているのです

が、一般には中国、北朝鮮が攻めてくるからと強調してきました。アメリカの家来として世界で戦争したいからと言えば、さすがに誰も賛成しないでしょう。中国や北朝鮮が恐ろしいからと言えば、差別感情を刺激された人たちが同調する。中国や北朝鮮は常に「敵」でなくては困るのです。かつて田中角栄は日中国交回復をアメリカに先んじて行った後に、ロッキード事件で失脚することになりました。従来であれば見逃されていたことが追及された。ただし、中国というマーケットは大きいので、アメリカもこれに続くことになります。中国との国交回復は、日米両政府にとってありがたいことであった。

北朝鮮の場合はマーケットとしては大きくありません。せいぜい数千万人です。地下資源が豊富など経済的なメリットはありますが、国交回復しなくても企業が困ることはない。それなら永久に「敵」にしておいたほうが日米の支配層には都合がよいので、日本の反朝鮮感情が常に煽られる。

そう考える根拠の一つは金丸信（1914〜1996年）です。彼は防衛庁長官、副総理、建設大臣を歴任し、自民党内では総務会長、幹事長など「自民党のドン」と呼ばれました。90年に田辺誠社会党委員長とピョンヤンに行き、金日成国家主席・朝鮮労働党総書記と会談し、3党共同宣言を出しました。朝鮮労働党、自由民主党、日本社会党の共同宣言です。戦後補償の問題にも踏み込みましたから、「土下座外交だ」などと言われた。それ以降、金丸さんの力は急速に失われ、92年、例の佐川急便に関わった、脱税をしたなどで捕まってしまい、結局政界から放逐されました。

前田——金丸訪朝団は90年で、金日成との会談が実現しました。歴史的画期的な成果です。ところが92年8月に、佐川急便事件。さらに93年に脱税事件で逮捕され、あっけなく失脚しました。

斎藤——自民党に中山正暉という衆議院議員がいました。台湾側についていて「日中国交回復はダメだ」と言っていた人です。その後、石原慎太郎さんとこの人は大喧嘩をしました。なぜなら、中山正暉が拉致問題担当になり97年に北朝鮮に行きました。拉致議連会長ですから、北朝鮮が嫌いであろうが好きであろうが交渉をうまくするしかない。中山正暉がうまくやっているのが石原慎太郎は気に食わなかった。産経新聞の連載で中山を非国民や売国奴であるかのごとく書いた。そうすると右翼がたきつけられ、中山の家に猫の死骸を投げ込み、街宣車が自宅を取り囲んだ。このため中山は石原を名誉毀損裁判で訴えた。ほとんど報道されませんでした。私は岩波書店の『世界』という雑誌に書きましたが、世間的には無視されました。

前田——中山正暉（1932年〜）はいわゆるタカ派です。73年、石原慎太郎、中川一郎、渡辺美智雄らと「青嵐会」を結成しました。自民党内の若手政策集団でした。中山は郵政大臣、総務庁長官、建設大臣を歴任しましたが、突然、政治力を失った。拉致問題が契機だったのですね。中山が石原慎太郎を東京地裁に訴えたのは02年でした。石原の記事が原因で右翼団体による抗議を受け、結果、妻が倒れる事態になったにもかかわらず、石原が逃げたため、裁判を起こしたと主張しています。03年には「建国義勇軍」から銃弾を送り付けられたこともあったそうです。

斎藤——中山の言葉が非常に印象的でした。右翼タカ派バリバリだったのに、「私は怖いんです。日本というのは公安警察が支配しているのでしょうか」と言っていました。北朝鮮と接近しようとしたわけではない。拉致問題のために向こうにも顔が立つように努力をしたことが片っ端から敵視された。公安にも見張られた。国を挙げて自分を排除しようとしてる、と、彼は言っていました。そこまで北朝鮮は敵視しておかなければならない存在とされている。中山にしても金丸にしても、何か見えない壁にぶつかっている。私はいずれ金丸について詳しく取材して書きたいと思います。これは一筋縄ではいかない。

前田——ぜひ読みたいですね。

斎藤――18年、私は平壌に行きました。いかにして早く国交を回復するのかという関心です。

前田――私は先ほどの辛淑玉さんと一緒に「朝鮮人道ネットワーク（HANKネット）」という市民グループの運動に参加し、朝鮮の孤児に粉ミルクを送る活動を長年してきました。私の仲間も18年にピョンヤンに行きました。友人によると、近年ピョンヤンの街並みが変わっている。どんどん高層ビルが建っているのと、一般の市民に携帯電話が普及している。国連経済制裁のため非常に苦労しているようですが、自主的な建設を進めている。ところが、日本ではこう述べただけで「北の手先」「非国民」と罵声を浴びせられます。

斎藤――南北をどうやって統一するかは朝鮮半島の人たちの問題ですが、日本の立場、日本の役割も考えるべきだと思います。そうしない限り東アジアには永久に平和が訪れない。ところが、アメリカが日本を現状のように仕向けておくことが利益になる深い構造があります。

前田――日本がやるべきことの第一は、南北の統一を妨害しないことですね。市民運動をはじめ、民間の交流を更に発展させる必要があります。トランプ・金正恩会談もその後進展していません。２０２０年の行く末は不透明ですが、長い目で見て、東アジアの平和構築を正面から考えていく必要があります。

東アジアの平和と友好をいかに築くかについては、東アジア共同体論や東北アジア非核地帯構想をはじめ、多様な問題提起がなされてきました。ところが日本政府は対朝鮮、対韓国、対中国のすべてで喧嘩を売ってきました。竹島（独島）や尖閣諸島などの領土問題、徴用工や日本軍性奴隷制問題などの戦後補償・歴史認識問題から、貿易（輸出入規制）や、世界貿易機関（ＷＴＯ）事務局長選出問題でも対立を煽り、紛争をこじらせてばかりです。

理念なき反知性主義の菅政権ですから、今後も低レベルの争いを繰り返すしかありません。市民運動やジャーナリズムの側でオルタナティブを見出していく必要があります。

第5章　消費税増税から改憲へ

――棄民国家の行く末

菅政権の消費税論

前田――新型コロナ禍による消費の落ち込みと関連して、野党から消費税減税の声が出ていますが、菅首相は即座に否定しました。19年10月の消費税増税による経済への影響が明らかにならないうちに新型コロナ禍となり、議論が難しい面もありますが、GO TOトラベルやGO TOイートというのなら、消費税減税や廃止のほうが原則論ではないでしょうか。

斎藤――私は消費税を徐々に減税し、最終的には廃止するべきだと主張してきました。ただ、いまコロナ対策としての消費税減税には必ずしも賛成できません。

前田――本来の消費税減税と、コロナ対策問題を絡めないほうがよいということでしょうか。

斎藤――急激な方法で消費税廃止に向けて動くことは難しいからです。消費税が導入されて30年になります。ですから、30年かけて、ソフトランディングする必要があります。特に今みたいに、コロナで景気が悪い、経済が崩壊している状態で、消費税をたとえば5％に減税すると、事業者は「値引き要請」の大合唱にさらされます。そうすると事業者は仕入れ先に値引き要請する。もともと「コスト＋利益＋消費税」の値決めができていれば大丈夫ですが、実際には、利益がなくて「コスト＋消費税」だけのような構造ができています。さらに値引き要請がかかると、ますます持ち出しが増えます。消費税が10％の時に仕入れたのに、5％といわれると、その差分が持ち出しになる。景気のよい時なら吸収できるかもしれませんが、厳しい時期ならこれが直撃します。体力のない事業者はそのために潰れるし、世の中全体もデフレが激しくなるでしょう。消費税は「悪魔のような税制」なので、一度はじめると止めるのも簡単ではない。世の中全体に余裕がある時でないと、なかなか止められないのが消費税です。

前田――菅首相が消費税減税を否定するのは、どういう理屈でしょうか。

斎藤――近い将来の大増税を考えているからでしょう。

前田――政治家や官僚は国家の税収維持や増加が主眼ですから、消費税減税ではなく、ＧＯＴＯトラベル、ＧＯ　ＴＯ　イートになる。

斎藤――新型コロナ対策で膨大な支出増になりましたから、本来なら増税したいと考える。ただ、今この時に増税とは言えないだけです。タイミングが悪いので、少し落ち着いたら増税しようと考える。一方で現代貨幣理論（ＭＭＴ）のような主張がありますから、放っておいてＭＭＴに根拠があることになっても困る。そうならないうちに増税しなくてはならないと思っているのでしょう。

前田――ＭＭＴは、変動相場制で自国通貨を発行している国では、インフレ率に基づいて財政を調整することが可能だし、そうするべきだという主張です。日本では、中長期的な財政赤字の拡大を容認し、政府の円建て債務が増大しても経済や財政に悪影響が生じるわけではないから、通貨発行の調整によって総需要管理を的確に行えばよいという形で議論されてきました。

斎藤――政府も官僚も財政再建、財政健全化の必要性を唱えているので、社会保障や教育の財源としてのＭＭＴには否定的です。彼らの利権に直結するような分野は例外なのでしょうが。

現状のコロナ対策のために、ＭＭＴに相応の根拠があるとなると困る面があります。

前田——お札をどんどん印刷すれば財政赤字は問題ないという単純化した主張が目立つため、ＭＭＴに不安を感じるのも無理はありません。

斎藤——本来なら、消費税、所得税、法人税などの税制の在り方、バランスのとり方をきちんと議論しなければならない。各税の特徴をきちんと精査して比較しながら議論していく必要があるのに、この間、とにかく消費税増税で済ませてきました。今や消費税増税に慣れてしまった。

日本は民主主義国家か

前田——消費税問題は税制度としても複雑ですが、その他の政治社会問題と絡んでいるため、いっそう議論が空転しがちです。消費税問題と改憲論とは一見つながりにくいかもしれませんが、消費税、強権政治、監視社会というつながりで考えてみます。

斎藤——一例としてまず19年の「厚生労働省統計偽装問題」からはじめましょう。「実質賃金が上がっている」と宣伝するために作られた偽装でした。正確に評価すると実質賃金は下がっている。それを内閣府の人間が、厚労省に偽装するように指示した。実際に「統計をでっち上げろ」と命令しなくても、役所の力関係とか、一定の立場のある者が何かを言えば、相手がそれなりの反応をするのはわかりきっている。「忖度」などというと勝手に気を使った印象になりますが、事実上の圧力をかけた。アベノミクスが成果を上げたように見せかけた。政策の基になるデータそのものが嘘だった。野党が追及しても、彼らは開き直るだけです。結局はそれが罷り通る。日本は民主主義国家ではありません。政府機構がまともに機能していない。

前田——近代民主主義の法治国家とは到底言えない。

斎藤——我々ができることは選挙で変えましょうということだけです。いくら何でも慣れ過ぎている。慣れさせられ過ぎました。政治家や官僚に馬鹿にされているわけです。

前田——19年2月24日、沖縄では辺野古基地建設問題県民投票が行われました。投票率が50％を超えて、基地建設に反対が71・7％でした。沖縄の民意がこれ以上ない形で示された。ところが、安倍首相も菅官房長官も投票前から、「県民投票なんてやっても、何も変わらない」と露骨に言っていました。以前、翁長雄志知事（当時）が会いたいと言っても、菅官房長官が無視し続けたのは、沖縄県民の意思など問う必要がない、聞く必要がないということです。

斎藤――政権がけしからんのはいうまでもないのですが、ここまで来ると容認、黙認しているほうがもっと罪深いのではないか。「森羅万象に責任がある」などと、荒唐無稽というか、己を本気で神様だと思い込んだ発言をしても、誰も本気で怒らない、引きずり降ろそうとしない。政権からすれば、「これでいいのだ、認められたのだ」と思うでしょう。本気で抵抗しなければ。

前田――森友学園、加計問題で「モリ・カケ疑惑」が続きましたが、19年暮れには「桜を見る会」の「サクラ疑惑」が浮上しました。都合の悪い文書は堂々と破棄する。改竄する。隠蔽する。それでよかったことにされているのですから、およそ民主主義の体を成していません。一部の政治評論家は「韓国では民主主義が機能していない」などと言っています。中国に対しても同じように語ります。韓国や中国を軽んじて、日本が先輩であるかの如く振舞う。

斎藤――韓国にも中国にも問題はあると思いますが、韓国は自分たちで民主化を勝ち取った国です。民主主義については日本人よりはるかに意識が高い。日本が民主主義に見えたのは偶然です。焼け野原だったのが、アメリカの戦争で稼がせてもらったから、そんなことも言えた。

前田——民主主義が未成熟というよりも、偽装された民主主義に安住しているといったほうがよいのかもしれません。

消費税増税の混乱

前田——さて、消費税をめぐるこの国の現在、及びこれからを伺います。19年10月に消費税が10％に引き上げられました。増税時にはさまざまな「混乱」が生じましたが、これはたまたま起きた混乱なのか、準備不足による混乱なのか、そもそも消費税の制度に問題があるのか。こうしたことも検証されていません。

斎藤——本当なら消費税を廃止するべきだと考えています。安倍政権は選挙の都合などで消費税増税の予定を何度も変更しましたが、あれは、人殺しが相手をめった刺しにし、虫の息にして、最後に心臓を一突きして死んでしまう所で、30秒待ってやるというと、殺されるほうはそれだけで感謝感激雨あられなのです。これが消費税をめぐる政権と納税者の関係です。

前田——実際には19年10月に増税が強行されました。増税前から、ポイント還元など色々なことが言われていました。それも消費税本体との関連があると思いますが、その場しのぎの小手先の誤魔化しという面もあった。

斎藤——短期的な議論の場や新聞などの短い雑誌記事などの中で話すと、どうしてもポイント還元に話題が集中しがちでした。私もあの前後にずいぶんと発言を求められましたが、聞くほうはポイント還元を聞きたがるわけです。消費税率の引き上げはすでに前提にされていて、その本質には誰も興味を示さない。あるべき争点を隠すための増税対策、という意味もあったということですね。ポイント還元にはいくつもの目的があります。表向きは低所得者対策、あるいは増税に伴う消費の冷え込みをできるだけ抑えるため、等々ですね。消費税とは本質的に弱い者いじめです。弱者ほど負担が大きく、死ぬまで追いつめられる税制です。

だからポイント還元という話になるわけですが、これは現金での支払いには適用されません。スマートフォンのＱＲコードとか、クレジットカードといったキャッシュレスでの決済が条件です。小売店の側からしても、中小零細の店舗に補助金が出る仕組みではありますが、初期投資の費用もかかるし、増税対策の期限が切れればスマホ決済会社やカード会社などへの手数料の支払いがのしかかってくる。高齢の商店主には、目に見えないお金のやり取りは不安でしょう。先々を考えると、簡単には参加できない店もある。また違う不公平を生んでしまう。

一つの所を補おうとすると、違うところで矛盾が生じることになる。消費税という税制の特性の、これも一例です。こんな具合に、ポイント還元のテーマを深く、広く突き詰めれば本質にたどり着けはするのですが、実際に交わされているような、ペイペイが〝おトク〟か、楽天ペイが〝おトク〟か、なんていう話ばかりでは、消費税の要点が見失われていくばかりです。

前田――ポイント還元制度の還元率は5％ですが、資本金5000万円以下または従業員50人以下の中小企業を対象に、政府が補助金を交付しました。

斎藤――19年10月1日時点で全国の約50万店舗が参加していましたが、経済産業省への申請は73万店舗だったようで、審査が進行中でした。店舗経営そのものは小規模零細でも、大手のフランチャイズチェーンに加盟しているコンビニや外食産業では還元率が2％に制限されています。他方、直営の大手スーパーや百貨店には政府からの補助がないので、独自にポイント還元策を講じることになります。これだけでも3％、5％、6％、8％、10％という、5段階の税率が並存している。店舗の種類や購入する商品、決済方法によってその都度変わります。消費者にとっても事業者にとってもわかりにくいうえに、公平性を担保できません。

前田――イオングループの岡田元也CEOが記者会見で「ほとんど暴力だ。むちゃくちゃなことが堂々と行われている。なぜ、こんな強引なことをしなければならないのか」と述べた。

斎藤――近畿圏と首都圏に店舗を有する大手スーパーのライフコーポレーションの岩崎高治社長も「競争環境が歪められている」と批判していました。消費税とはそもそも大手に絶対的に有利、中小零細には致命的な税制ですから、〝対策〟が講じられる場合は逆に大手にとってのデメリットとなりやすいのですが、ここだけを取り出せば「むちゃくちゃ」であり、「競争環境をゆがめている」ことは間違いありません。

消費税とは何か

前田――そもそも消費税とは何か。その性格と仕組みですね。3%、5%、8%と変遷し、誰もが消費税を取られている。では、消費税について何をどう知っているのか。私を含めてみんなが答えられない。斎藤さんは10年に『消費税のカラクリ』(講談社現代新書)と『消費増税で日本崩壊』（ベスト新書）、14年には『ちゃんとわかる消費税』（河出書房新社）を出しています。

斎藤――いま言われたことが実に重大な問題なのです。消費税と関係ない人はいません。30年経ちますから、みんなが知った気になっている。しかし、これほど知られていない税制はない。

消費税について絶対に知っておかなくてはいけない、イロハのイは2つあります。1つは、原則すべての商品、サービスの、あらゆる流通段階にかかる税金であること。たとえば、この腕時計です。時計屋さんから腕時計が消費者の手に渡る時に消費税がかかる。これは誰でも知っている小売りの段階です。でも、時計屋さんが問屋さんから仕入れる時にもかかっているし、問屋さんがメーカーから仕入れる時も税がかかっています。メーカーが部品メーカーから仕入れる時もかかっていますし、部品メーカーが金属の素材を仕入れる時もかかっています。それぞれの段階で、輸送したり、倉庫に保管するのにも消費税はかかる。これが1つです。

2つ目は、納税義務を負っているのは誰なのか。多くの人は消費者だと思いこまされていますが、実はこの税の納税義務者は年間の売上高が1000万以上の事業者です。あくまでも事業者が、商品やサービスの価格に消費税分を上乗せして売り、お客さんから預かった消費税を税務署に納めるという物語が創作されているのですが、現実にそうできるかどうかは、それぞれの取引によってまったく違ってくるのです。

ここが本質なのですが、公共料金であれば政治的に値段が決まります。納税義務者である電力会社や鉄道会社の「コスト＋利益＋消費税」を計算して割り出される。しかし公共料金でない商品やサービスは市場原理で値段が決まります。納税義務者がコスト＋利益に消費税を乗せて売りたくても、同じ商品を近くの安売りスーパーがうんと安く売っていたら、こちらも相当の値引きをせざるを得ない。しなければ万が一にも売れなくなります。

これが、いわゆる消費税を「転嫁できる、できない」という問題なのです。普通の税金のように利益に対してかかるものではなく、取引そのものにかかるので、納税義務者である売り手と買い手の力関係によって、どちらが実質的に負担するのかが違ってくる。早い話、下請けの町工場が、消費税が上がったからと言って、その分を値上げしたら、納品先の大手メーカーに取引を切られてしまいかねない。それが商売の現実です。売り手が弱ければ、実質的には自腹を切って消費税を納税する羽目になるわけです。

大きくこの2つが消費税の「イロハのイ」です。言ってみれば「取引税」。あたかも消費者が小売店から何かを買うときに負担しているだけのように見せかけている「消費税」という名称自体が、限りなくイカサマに近い。〝広く薄く、公平で、中立的で、シンプル〟などと政府もマスコミも口をそろえていますが、実は非常にあいまいで、複雑きわまりない税制なのです。

前田——ヨーロッパにも同じようなものがありますが、付加価値税と呼ばれています。

斎藤——厳密にいうと日本も付加価値税です。しかし日本ではあえてこの言葉を使わない。どういう意味だと国民に関心を持たれると、まとめて騙しにくくなるから。

前田——売上税ないし付加価値税というのは、消費税とどこが違うのか、私はいつも分からなくなってしまいます。

斎藤——結構そこは難しいのですが、たいした違いはないという理解で差し支えないと考えています。消費税すなわち付加価値税では、納税義務者が顧客から預かった（ことになっている）消費税から、仕入れの際に支払ったことになっている消費税を差し引いて納税するという手順を編みます。この計算式を「仕入れ税額控除」といいますが、売上税だとこんなややこしい計算はしないで、取引高、つまり売上高をもとに納税額が算出されることになります。この際、製造、卸売、小売のどれか一段階だけ、たとえば小売りにだけ課税する「小売売上税」といったふうな単段階売上税だと消費税とだいぶ違ってきますが、中曽根政権が目指していたのは全段階で課税する多段階売上税でしたから、消費税とは計算の仕方は違っても、取引に課税されるという本質は変わりません。

前田――付加価値税の場合、日常生活用品と高級品や趣味の物との違いはありますが、消費税ではあまり問題にされません。

斎藤――いわゆる複数税率の話です。ヨーロッパはローマ帝国の時代から間接税中心の社会なので、その歴史的経緯から、商品ごとに税率が異なる場合が少なくありません。総じて贅沢品は税が高くて、食料品や出版物は税金が低い印象ですが、そうとばかりは言えないケースもあります。日本の消費税はこれまで複数税率を採用せず、単一の税率だったのですが、今度10％の税率になるときは、一部に複数税率が採用されました。具体的には、飲食料品と、週2回以上発行される新聞の定期購読、つまり宅配の新聞だけは、8％の税率に据え置かれました。

前田――贅沢品ではなく食品・新聞料金が変わるということになる。この仕組みですが、消費税というのは、一般の消費者には一番わかりにくいと思います。私も事業者ではなく、お店で払っているだけで、自分が消費税を払ったつもりになっている。そこから先の事は考えない。

斎藤――下の資料を見てください。①から④の棒は、それぞれ価格を表していると考えて下さい。①を見ると、コストがあり、その上に利益が乗り、さらに消費税が乗っている。それが100%で、その消費税分をお客さんから預かり、先ほどの仕入れ税額控除の計算をして納めます。仮にこの①が消費税率5%の場合だったとします。これを10%によると言われれば、多くの方は②の形になると思う。とすれば消費税が上がったら値段も上がる。だけど実際はそう簡単にはいかないことは、これまでお話しした通りです。それで③の形に収まったりする。③になると、商品の値段は上がらないからお客さんは喜んでくれますが、だからといって事業者の納税義務が免除されはしないので、利益を削って納税額をひねり出すしかない。

　利益を削るだけでは商売は成り立ちません。事業者は次に何を考えるか。何をどう工夫しようと消費税は

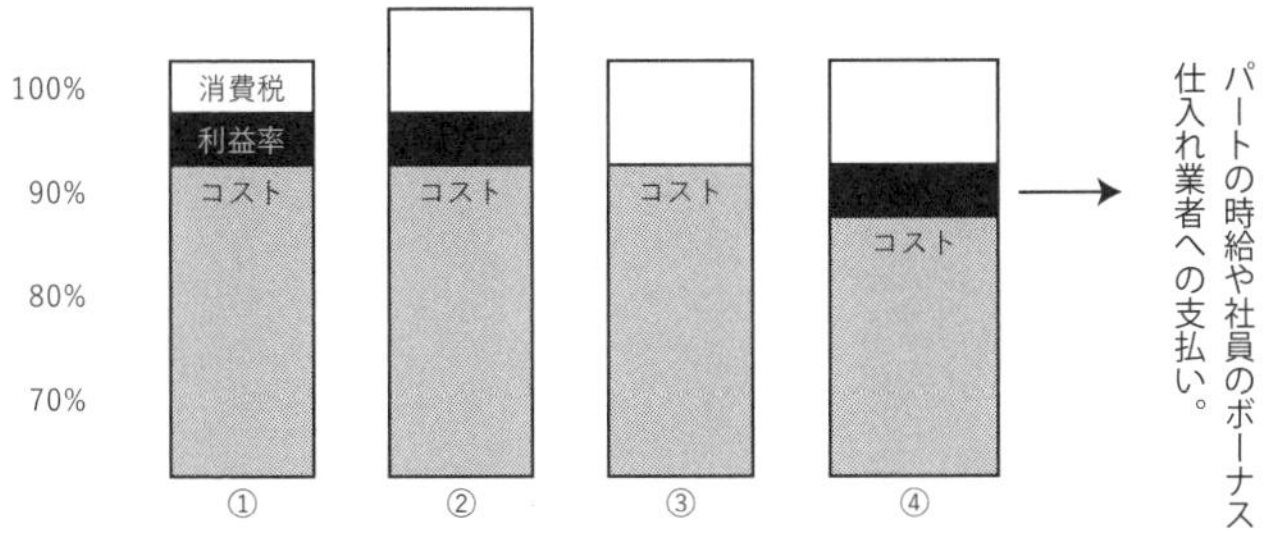

①消費税率５%の時代（とりあえず利益の出ていた場合）
②10%への税率引き上げで多くの人はこう捉えている。
③しかし競争上、あるいは、元請下請けの関係などから増税分の値上げができず、
廃業、倒産に追い込まれる。
④より弱い立場への負担の押し付けで生き延びる。
（著者作成）

取られてしまう。滞納が続けば差し押さえを食って人生を終わらされます。やむなく利益を削って納税するが、これも続けば倒産か廃業は必定です。だからコストを削る。それも電気代の節約とか、そんなものでは追い付かない。コストを大幅に削るには、たとえば従業員の人件費をカットする。人減らしをして残った者一人当たりの労働負荷を高める。サービス残業を強いる、賃金を下げる、時給を引き下げる、ボーナスを下げる。

でなければ仕入れ先を泣かす。消費税増税を理由に仕入れ業者が代金を値上げして請求してきたら、「もう、お前は二度と来なくていいから」とやる。

事業者がどこまでも生き残ろうとするなら最後のやり方をします。そこで仕入れ業者が「ふざけるな」とみんなからそっぽ向かれたら、次は仕入れが出来なくなるのでそうもいかない。従業員を泣かすといっても、労働組合が頑張れば簡単に人件費をカットできないので利益をカットする。ケースバイケースですが、弱肉強食の新自由主義イデオロギーに支配された現代の日本社会では、弱い側がどれほど泣かされても、誰も助けてはくれません。

厄介なのは、差し押さえが怖いから利益を削り、従業員や仕入れ先に負担を押し付け、無理をして消費税を納めるじゃないですか。すると実質的には転嫁できていないのに、帳簿の上では「転嫁できた」ことになってしまう。何よりもまず、消費税の納税が優先させられてしまうんです。税金だけは、どんな犠牲を払っても納めなければ、権力に息の根を止められてしまいます。消費税を崇め奉っている人々はよく、そのことをもって、「ほら見ろ。転嫁できているじゃないか。転嫁できないなんて主張は嘘だ」などと言いたがる。私は実質の話をしているんです。〝ご飯論法〟みたいな汚い屁理屈を振りかざすのは、もういいかげんにしてもらいたい。

消費税の本当の狙い

前田――資本の論理で純粋に考えると、競争を通じて安い商品を消費者に提供できるのだからよいではないかという考えが出てきます。

斎藤――消費者のことだけ考えればそれでよいことになるのかもしれません。しかし、消費者の側面しか持たない人間というのはいないわけで、大多数は同時に事業者ないし事業者に雇われて生活している。消費税が上がってもインフレにならないのは、この弱い者いじめ税制がデフレを促す作用があるからです。いくらモノが安くても、中小零細の事業が軒並み潰れ、そこで働いている人々がみんな失業してしまえば本末転倒でしょう。

前田――消費税を導入し、徐々に消費税を上げていく政策をとってきたのは、中小企業はなくなってもよいということですか。

斎藤――それこそが最大の狙いじゃないかと、私は疑っています。ネットTVや雑誌の企画で、財政学や社会保障論の先生と話をしたことがあるのですが、皆さん、増税賛成です。本番が終わって雑談していると、必ず言われるのが「斎藤さんが言いたいことは分かるけど、消費税増税をしなければわが国の生産性はいつまでたっても向上しない」というロジックなんです。

税金の話が、どうして生産性の話になるのか。答えは簡単、消費税が上がれば自腹を切ってその負担に耐えられない中小零細の事業者が廃業していく。地域の店舗も軒並み大手のフランチャイズのような形になれば〝生産性〟が向上する、というシナリオです。

前田――消費税政策を利用して産業構造を変えていくという大きな青写真がある。

斎藤――70年代末、学生時代に、「マーケティング論」という授業を取りました。通産省出身の講師が「流通暗黒大陸論」というのを話していたのをよく覚えています。暗黒大陸とは当時、アフリカのことを指し、〝文明の遅れた地域〟と蔑視する意味で使われていた差別語です。「日本の流通はすごく複雑で、ごく小規模の問屋が幾重にも乱立している、小売りは小売りでパパママストアのたぐいがのさばって効率が悪い。生産性が低い、だから小さな問屋や商店を潰し、大手を中心に再編成していくことが大事だ」というのです。

前田――菅政権が発足するや、中小企業対策と言い出しました。要点は中小企業の数が膨大過ぎるから、半減させる。つまり、半分の企業を潰すということです。

斎藤――少し前に急増しはじめていたGMS（総合スーパーマーケット）やCVS（コンビニエンスストア）などの大手小売店を増やしていくことが、日本の流通を進歩させていく有効な政策だ、と。特に後者は、大手流通資本によるフランチャイズ・システムを活用した中小・零細小売業の再編成ですね。これは財務省的に言っても非常に都合がいい。というのは、サラリーマンは給与取得と年末調整で全部勤務先がやるサラリーマン税制ですよね。自営業者は自分で確定申告をする。しかし当局は国民にできるだけ確定申告をさせたくない。確定申告は民主主義の税制なんです。納税者一人ひとりが自分で申告し、納税することによって、自然に納税者意識が養われます。だから徴税当局はこれを嫌う。戦後ずっとそうなんです。

前田――企業の場合とサラリーマン税制のことが出ました。源泉徴収されている人は、どういう風に納税するかを自分で計算しない。勤務先がやってくれる。楽をしているため、税金システムについて知識を持つ必要がない。無知のままでいられるのがサラリーマン税制です。

大企業優遇税制の正体

斎藤――大雑把にいうと、日本の国税収入のうち、所得税、法人税、消費税、その他の4つの項目がそれぞれ4分の1ずつだと思って下さい。

前田――消費税がなかった時代は所得税と法人税が中心でした。

斎藤――その他、今の消費税に近かったのは物品税。贅沢品には間接税がかかっていた。

前田――消費税を導入する段階で所得税や法人税にどういう変化があったのでしょうか。

斎藤――簡単にいうと所得税と法人税は直接税と言われます。直接税というのは納税義務者と実際に税金を負担する担税者が同じである税です。所得税と法人税は、納税義務者の利益にかかります。間接税というのは本来、納税義務者と担税者が同じでないものをいう。消費税の納税義務者は年商1、000万円以上の事業者だけど、担税者は彼らの商品やサービスを購入する者、小売りの場合であれば消費者だという建前で、だから間接税だと説明される。

次ページに折れ線グラフがあります。消費税が導入されたのは1989（平成元）年ですが、その前から法人税の税率がどんどん下がっています。単純な言い方をすると、消費税率が3％から5％、8％、今度は10％と、3倍以上にも引き上げられてきた一方で、法人税率はその分、大幅に下がったのです。消費税は法人税減税の財源になっている。多くの人々は「財政危機だから赤字国債の償還に回すんだろう」とか、「社会保障の充実と言っているから社会保障費になるのだろう」と、政府の宣伝通りに思い込まされたままです。

それは嘘です。消費税でもって個人や個人零細事業者からよけい税金を取った部分、法人税、特に大企業からの税金を減らしてるという単純な事実ですね。この表には「所得税の税率の推移」とありますが、これも消費税によって大きく変わってきた。一番左から74年からずっと10年間の所得税の累進税です。累進税とは所得が多い人ほど税率を高くする。能力のある者がより多くを負担するという「応能負担」の考え方に基づく仕組みです。個人の尊重や法の下の平等、生存権などを定めた日本国憲法から導かれた制度で、70年代はここにあるように全部で19段階の税率がありました。

前田――8、000万の所得の方は75%となっています。

斎藤――非常に高かったのですね。それが年々緩和され、消費税が導入されたのは89年ですが、2、000万円以上の人が50%という税率でした。その後さらに累進は緩和されて一番緩和されたのは99年、最も税率が高い人で1、800万円以上だと37%です。ちょっとした会社の部長さんクラスも、トヨタやユニクロ会長のような、年に何百億円も稼ぐ人も税率が変わらないということです。その後少し変更がありますが、今は一番右の形になっている。また、この表は国税である所得税の累進だけを示したものですが、所得からはこれと別に、地方税としての住民税も課されますよね。ところが、そちらのほうは累進の仕組みそのものがなくなってしまっている。大金持ちも貧乏人も税率は一律同じ。応能負担ではない、ということは憲法違反で

法人税率の推移

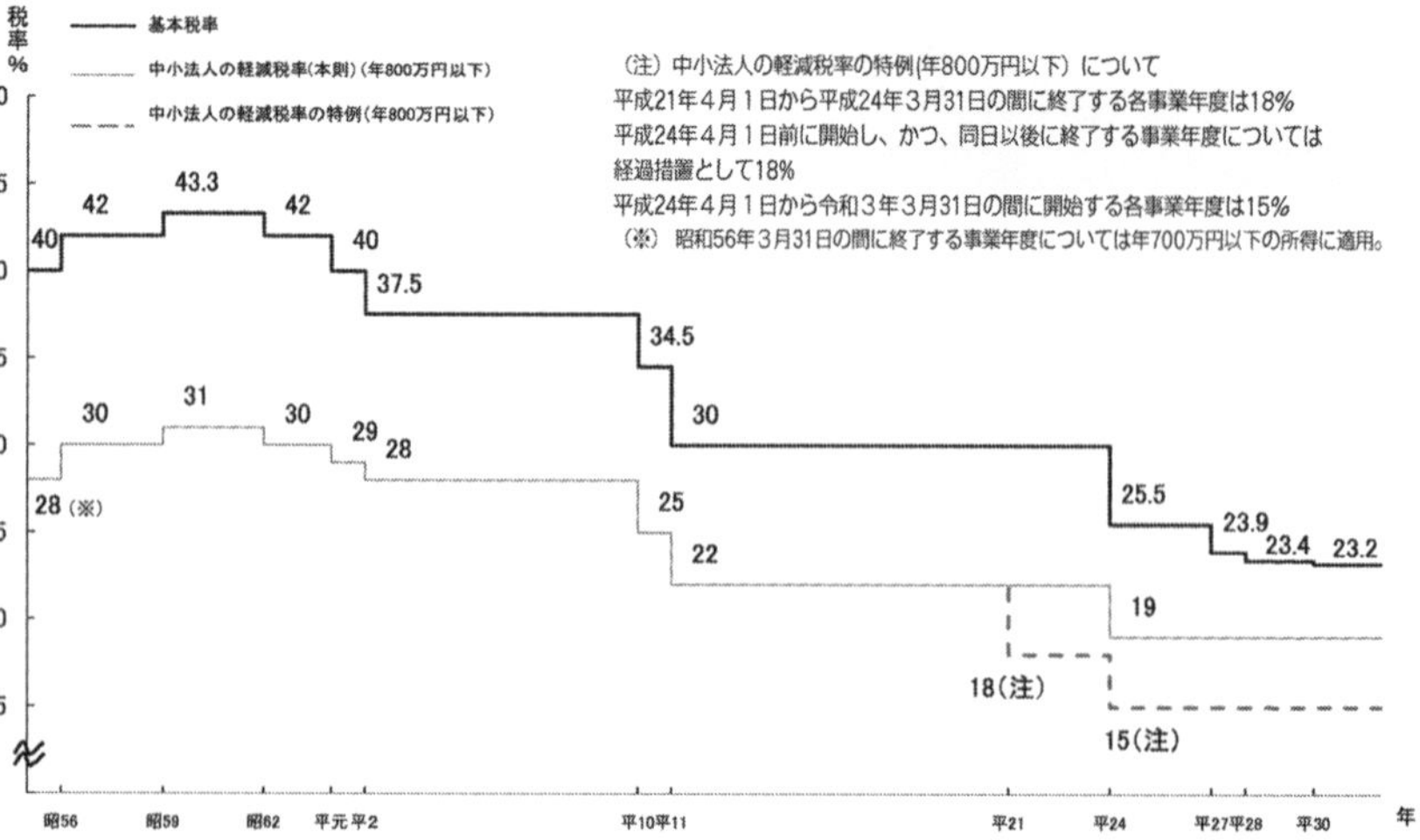

財務省HPより

す。「金持ち優遇、貧乏人いじめ」の構造が実にわかりやすく表れています。

前田――先ほどの折れ線グラフの4分の1ずつというのは、右側の大体25％になっている数字のことでしょうか。

斎藤――25％ずつというのは国税収入における割合です。消費税のなかった時代、国税収入に占める法人税の割合は40％前後だった。消費税が導入されると、その割合は下がる一方です。消費税というのは単独の税としての話ではなく、法人税や所得税との関係の中でこそ、よく見えてくる。大企業やお金持ちが累進で取られていた税金がどんどん下がり、その分は消費者や、自腹を切らされる中小零細事業者から巻き上げた消費税で賄うという構図が、すっかり定着しました。この不平等性が問題なのです。

1974年〜		1984年〜		1987年〜		1988年〜		1989年〜	
（万円）	%	（万円）	%	（万円）	%	（万円）	%	（万円）	%
〜60	10	〜50	10.5	〜150	10.5	〜300	10	〜300	10
〜120	12	〜120	12	〜200	12	〜600	20	〜600	20
〜180	14	〜200	14	〜300	16	〜1000	30	〜1000	30
〜240	16	〜300	17	〜500	20	〜2000	40	〜2000	40
〜300	18	〜400	21	〜600	25	〜5000	50	2000〜	50
〜400	21	〜600	25	〜800	30	5000〜	60		
〜500	24	〜800	30	〜1000	35				
〜600	27	〜1000	35	〜1200	40				
〜700	30	〜1200	40	〜1500	45				
〜800	34	〜1500	45	〜3000	50				
〜1000	38	〜2000	50	〜5000	55				
〜1200	42	〜3000	55	5000〜	60				
〜1500	46	〜5000	60						
〜2000	50	〜8000	65						
〜3000	55	8000〜	70						
〜4000	60								
〜6000	65								
〜8000	70								
8000〜	75								

所得税の税率の推移（財務省資料をもとに作成）

消費税の複雑さの影響

前田――個人事業主の場合、手続きが煩瑣になってしまうこともありますよね。

斎藤――実際には簡易課税方式などもあるので、みんなが複雑なわけではないのですが、さっき言った、お客さんに売る時に預かった消費税マイナス仕入れにかかった消費税を差引く仕入れ税額控除、そういう計算をしないといけない。私も消費税が導入されてからは、自分で確定申告をすることが難しくなりました。収入が少ない人でも税理士さんにお願いしないとちょっとやってられない。

前田――今はコンピューター上のソフトでもできるようですが。

斎藤――確かにできなくはないけど、誰もが使いこなせるわけじゃない。それぞれの事業者の独自の節税も難しくなりました。

前田――ソフトを利用するコストもかかります。その意味で、独立自営業者に影響が大きいと思います。それなりに知っているようで、私たちは正確には知らないと思います。中小企業あるいは独立自営業がどんな苦労をしているかを少しお願いします。

斎藤――一例として、私自身の話をしましょう。2000年代の前半でしたが、死ぬほど働いて、年に1、000万円稼げるようになりました。フリーライターなんてあまり稼げる仕事じゃありません。みんなどんな生活をしてるかというと、男であれば、かなり有名な人でもあまり収入はなくて、奥さんが公務員だとか、「髪結いの亭主」みたいな人が珍しくないんです。

私はその頃、自分一人で大企業のサラリーマン並みに稼げたので威張ってしまった。税理士さんに話したら、「あんた馬鹿ですか」。「馬鹿はないでしょ」と返したら、「税金が増えるんですよ」、「わかってますよ。収入が増えれば所得が増えるんでしょ」、「それだけじゃないんですよ」というやり取りになった。

消費税というのは、長い間、納税利用者かそうでないかの区分は年間3、000万円でした。3、000万ともなれば、店や工場をやっている人でもそれなりの規模がないと届くものではありません。フリーライターで3、000万なんて、まず不可能です。それが2004年に1、000万円に引き下げられたんですね。そうなると、普通の事業であれば、たいがいは納税義務を課せられてしまうことになる。

ほとんどの事業者が消費税の課税事業者になったということです。私もなりました。ですが当初は一般的な、政府やマスコミに教え込まれたままの理解だったので、「税金分はお客さん——私の場合は出版社や講演先など——から預かって納めるので、僕が負担するわけじゃないじゃないですか」って言いました。そしたら税理士さんは「違うんだな、それが。でも、いくら説明してもあなたは絶対にわからないだろうね。これから1年仕事をして、仕事をした先から年末に支払調書というのが送られてくるから、それをよく見てごらん。そしたら説明してあげる」という。

言われたとおり、年末に支払調書を見ました。一流どころの出版社はちゃんとしてました。たとえば本1冊書いて100万の印税だったとします。所得税の源泉徴収については、話がややこしくなるのでこの際考えないことにすると、100万の印税に加えて当時の消費税率5％を乗せて、105万円を振り込んでくれます。ところが、いいかげんな会社だと、100万円の印税なら100万円だけしかくれません。問い合わせると「その5％は100万円の中に含まれている」と言われました。奇妙な話です。本の印税というのは通常、「本の値段×部数×10％」という計算で導かれます。法律で決まっているわけではないのですが、業界の慣習なんです。それで1,000円の本を一万部刷ると100万円貰える。

ところが、消費税分の5％は100万円の中に含まれてますということは10％の印税率が

「9・何%」だかに下げられてしまっていたということです。「そうだろう」と税理士さんは言いました。この分は自分で払わなければいけないのかと聞くと、そうだ、と。

私はムキになり、仕事の依頼が来るたびに消費税の確認をするようになりました。「来月の何日までに原稿用紙20枚で一枚当たり5、000円です」と頼んできたら、「消費税を乗せてくださいね」と返します。でも、いくら説明しても雑誌編集者はサラリーマンなので税金のことを何も知りません。

電話で話すうちに気が付きます。私のテーマのひとつは「格差社会」です。いわば弱者とか正義の味方面をしているわけです。でも、話していると電話の向こうで相手が何を考えているか伝わってくる。「斎藤というのは日頃偉そうなことを言っているが、銭金に卑しい野郎だ」と思われはじめていることが、ひしひしと、ですね（苦笑）。

これは辛いです。いたたまれなくなって、「わかりました。今回はどうしてもわかってもらえないので、もうこの話はいいです。書きます」と言って、まず依頼された仕事を引き受ける。「頑張って書きますから、それでもしあなたが私の仕事を気に入ってくれて、次も頼んでやろうということになったら、あらかじめ会社の経理に行って、斎藤は原稿料に消費税を乗せてくれと求めてくるんだが、どう対応したらよいかと相談した上で、電話をください」。そうすると2度と原稿依頼が来ないいんですよ。そういうことが何度も繰り返されて、ああ、これはあらゆる下請け、中小零細の事業者がやられていることなんだと思いました。自分だけの問題ではないから、きちんと本にしなければいけないなと考えたのが10年でした。

ところが、雑誌そのものが次々に休刊してしまうし、本も売れない。どんどん原稿料の相場が暴落した。代わりに隆盛をきわめているネットメディアは、ほとんど無料が当たり前ですから、原稿料も微々たるものです。消費税の問題をはるかに超えて、原稿料はよくて2、000円です。取材費も出なくなり、「やりたかったら勝手に取材して」みたいなものです。取材しないで書けばいいかげんなものになり、自分の評判が下がるので自腹切っても取材するしかない。

前田――独立自営業にどういう影響があったかということでライターである斎藤さんの事例を説明してもらいました。街の駄菓子屋さんだったり、小さな自営業者の状況もそれぞれ厳しい。

斎藤――次ページにあるのが消費税が導入された1989年（平成元年）以降の毎年新しく発生した滞納額の推移を表したグラフです。一番滞納が多かったのが92（平成4）年で、2兆円近くもの滞納が発生した。それが年々減ってきて、19（令和1）年は5、528億円です。ピークの3分の1。滞納の内訳を見ると興味深いことがわかります。全体では3分の1に減ったのに、消費税の滞納だけはあまり変化がない。19年は全体の57・9％が消費税でした。国税収入の6割近くが消費税だというなら、滞納も6割でもおかしくありませんが、所得税も法人税、消費税もそれぞれ4分の1ずつなのに、滞納を比べると、消費税が異常に多い。

国会でも何度か問題になりました。国税庁の説明はその都度、「悪質な納税者が多いからだ」という。だから取り立てを厳しくする、で済まされてきたんです。悪質な納税者がいることは否定しません。でも、それが消費税にだけ集中するのはおかしい。なぜ消費税だけこうなのか。無理があり過ぎるからです。払おうにも払えないからです。所得税や法人税など

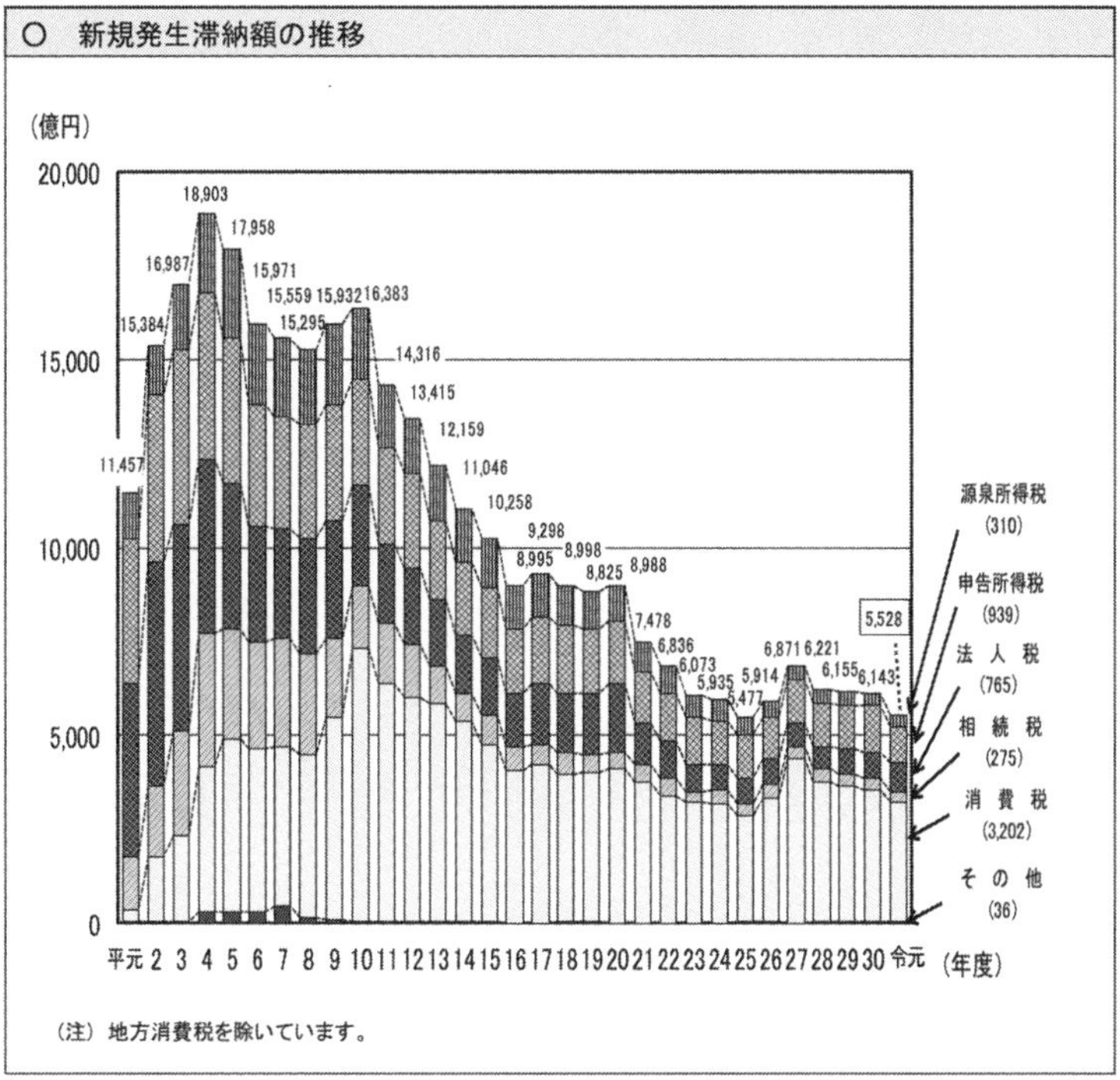

国税庁HPより

は利益に対してかかるから、払おうと思えば払える場合が多い。しかし消費税は利益に対してではなく取引に対してかかるので、赤字でも課せられる。だから納めようにも納められない。

個人事業者の話がわかりやすいので繰り返しますけども、結局、誰かに押し付けることになってしまいます。これから10％、20％と上げられていく中で、皆さんがもしスーパーマーケットの店長だったらどう考えますか。私が店長だったら、お客さんに「消費税は上がっても、私どもはお客様の味方です。増税分はいただきません」キャンペーンを大々的に展開します。プライス・ロック、増税にもかかわらず値段は据え置き、などと打ち出す。これを単純にやったら利益を削ることになり、成り立たないので、その分仕入れ先をいじめます。

前田――下請けいじめが前提となっている。

斎藤――「ついでに生産性を上げてしまおう」というのはそういうことです。私は事業者だから理解しやすいのですが、サラリーマンだって本当は大変なはずなんです。いじめられる側のサラリーマンだったら、なぜ自分はこんなに働いているのに待遇を悪くされるのだと分からなく、気づいたときにはリストラされている。

リストラの話になりましたが、労働形態でいうと、平成の30年間に「正規労働から非正規労働へ」という流れがありましたが、そこも今の問題と絡んできます。企業は同じ人件費であれば、自分のところで社員を雇うより、派遣会社に人材を派遣してもらったほうが消費税の上でも節税が出来るメリットがあるんですね。例の「仕入れ税額控除」は、給料には適用されませんが、仕事を外の会社に外注して生じる「外注費」には適用されるので、派遣会社同士を競争させて、うまく値引きさせることができれば、企業は節税メリットを享受できる。これまでは税率が低かったので、非正規が増えた原因はただ単にそのほうが人件費が安いということでしかなかったかもしれませんが、消費税率が上がっていけば、このことをモチベーションに正規を非正規に切り替える会社が続出することになるでしょう。

消費税とメディア

前田——平成が終わり、令和を迎えた時期に、テレビ特番などで「この30年にあったこと、日本社会がどう変わったか」という中に、労働形態の変容のテーマが入っていました。

斎藤——そういう特集では、消費税はあまり取り上げられない。マスコミが一番問題なのは消費税のことを何も知らないことです。財務省担当記者はさすがに知っているかもしれないが、財務省の論理にどっぷり漬かってしまっていて、この税制のために中小零細がどういう目に遭っているか、そういう取材をする人は一人もいないと言っていい。国税庁の資料をみれば、消費税滞納が異常なほどなのが一目瞭然なのに、新聞が報道したことはありません。

『産経新聞』が18年の暮れに「10%の壁」という記事を3回連載したのですが、よい所と酷い所と両面あり、興味深いサンプルだと思うので紹介します。先ほど、飲食料品と新聞は軽減税率で、消費税率が10%に上がっても、これらだけは8%のままだと話しました。先々に税率がさらに上がっても、この2つは他とは違う扱いにすることになっています。飲食料品の場合、増税で値段も上がると低所得者が食べられなくなって、下手をしたら死んでしまう。だから軽減税率だとなった。

もう一つの「新聞」というのは分からない。新聞がなくても誰も死にません。日本新聞協会が89年の導入時から重ねてきた主張によると、新聞は活字文化の中心である、その活字文化が、読者離れがあるのに消費税増税でもって新聞の購読料が高くなると、ますます読者離れが進む。そうなれば日本国民の知性は低下し、ひいては国力の低下につながる、だから新聞だけは特別扱いしてチョーダイ、というのが新聞協会のロジックでした。

活字業界の端くれにいる私には、まったく共感できない訳でもありません。誰も新聞を読まなくなり、ネットやテレビでしか情報を取らなくなったら、いわゆる反知性主義はもっと進むと思う。個人的な事を言えば、新聞や新聞社系の出版社が潰れると仕事先が減るので、ホントに困る。でも従来、政府は新聞側の主張を顧みてはくれませんでした。ところが安倍政権は、彼らの要望を受け入れた。

自分が安倍首相になったつもりで考えたらすぐわかる。私も安倍首相の立場だったら当然、受け入れます。その代わり、「ただし、わかっておろうな」です。余計な事を書くなよってことですね。今がまさにそうじゃありませんか。産経新聞の面白かったところは、わざわざ軽減税率について連載していながら、3回の連載のほとんどは飲食料品と海外の話題で、新聞の軽減税率については3行ほど触れただけで済ませていたことです。

前田――新聞だけでなく、すべての出版文化にかかわることですが、新聞だけ特別扱いですね。

斎藤――飲食料品についてはものすごく細かく書いていました。これはこれで報じられるべき内容です。一口に飲食料品と言っても、外食は軽減税率ではない。同じものを食べても、店内で食べると10%、お持ち帰りだと8%。これはよく話題になりますよね。マクドナルドの店内で食べようと思ったが、満席だったので仕方なく持ち帰りだと言ってレジを済ませた。でも帰ろうとしたら1席空いたので座って食べた。そうすると、この人は本当は10%払わなければばいけないので、店側はどうしましょうということになります。店員さんがその席まで行って、「あと2％払ってください」なんてやったら、トラブルになりかねない。こういうことが頻繁に生じ得ます。

前田――新聞についてはイギリスとの比較があったと思います。

斎藤――日本新聞協会は、自分たちの主張の根拠を理屈だけではなく、ヨーロッパの現実に求めています。特にイギリスを引き合いに出したがる。なぜなら、イギリスは出版物全部が0％です。これは確かに出版、新聞の活字文化に関わる人間にとっては理想的な考え方です。では、日本新聞協会にそれをいう資格はあるのか。

イギリスは新聞発祥の国です。初期の頃から権力批判をしていました。イギリス政府は非常に困り、税制面で新聞社をいじめました。当時まだ付加価値税がなかったので、印紙税など新聞社に特別高い税率をかけて潰そうとしました。これを知識への課税と言います。それに対してイギリス市民は「我々に知識をもたらしてくれる新聞社をいじめるとは何事だ」と立ち上がり、色んなデモやストライキがあり、中には刑務所に入れられる人もいたほどです。1世紀以上の年月をかけてようやく税率0％を勝ち取りました。

前田——ジャーナリズムの地位を自分たちで勝ち取ってきた。

斎藤——82年、サッチャー政権の時、アルゼンチンとの領土問題でフォークランド（マルビナス）紛争がありました。サッチャーは当時、戦費調達を目的に出版物にも課税すると言い出した。この時も「知識に課税するのか」ということでイギリス国民は立ち上がり、課税を阻止した。日本はどうでしょうか。日本の新聞読者に「新聞は大事だから税金かけるな」と言って立ち上がった人がいるか。いないどころか、軽減税率が決まった後も、ヤフージャパンのインターネット調査によると全体の8割が「反対」です。人々の情報源が新聞からインターネットに移りはじめた時代です。新聞だけ税率が別扱いなのはどういうことなのか。読者が知らないうちに、日本新聞協会が権力におねだりをして了承を得てしまった。

怖い人におねだりしたら、どうなるのか。暴力団に喧嘩の仲裁を頼めば、一生しゃぶられます。安倍政権に軽減税率を頼めば……？

2020年東京オリンピックでも、朝日・毎日・読売・日経の4紙はオリンピックのオフィシャル・パートナーになりました。報道機関ではなく、オリンピック・ビジネスの当事者になってしまった。政府とほぼ同じ立場と言ってもいい。批判しろと言っても無理です。

前田――マスコミ一丸となって２０２０オリンピックを盛り上げるために、あの手この手の宣伝競争をしました。20年春に新型コロナ禍が悪化した時に、政権もマスコミも新型コロナそっちのけで、オリンピック延期問題で大騒ぎしました。

キャッシュレス社会と監視社会

前田――消費税増税問題を読み解いていくと、現在の日本が抱えている問題が見えてきました。政府が描いている将来社会像につながります。

斎藤――ポイント還元制度で税制が複雑化し、現場が混乱することはわかりきっていたのに、なぜ強行したのか。話がややこしくなるので、先ほどはあえて詳細を割愛しましたが、それはキャッシュレス化がもともと政府の方針だからです。要は消費税増税対策を口実に、別の、通常ならとても困難な国策を推進しようとしたわけです。

前田――19年10月前後でキャッシュレス化に変容はあったのでしょうか。

斎藤――「インフキュリオン」という会社があります。ITと金融を融合したフィンティック企業です。そこのインターネット調査によると、QRコードを使ったスマホ決済利用者は、19年3月に11・6％だったのが、増税の19年10月には35・7％と、3倍に伸びていました。電子マネーやクレジットカードなどの決済方法は横ばいだったようですが、調査対象の45％は10月以降のキャッシュレス決済利用が増えたと回答しています。

前田――コンビニなどのキャッシュレス決済比率もかなり上がったようです。JR東日本はモバイルスイカを使って電車に乗ると2％がポイントになります。日本郵便も20年2月から郵便局の窓口でキャッシュレス決済ができるようにする方針です。

斎藤――これだけ大規模に進行しているということは、いずれキャッシュレスが現金に取って代わって決済の主流になる可能性があります。少なくとも政府はそうさせたいと考えている。

前田――キャッシュレスということは、カードやスマホで金融システム、コンピュータシステムにつながっているということです。

斎藤――誰がいつどこで何を買ったかのデータが、リアルタイムで記録・蓄積されていく。マイナンバーや町中に張り巡らされた監視カメラ網、スマホのGPS機能、SNSでの発言履歴等々と組み合わせ、連動させることで、監視社会が一気に完成に近づいていく。

改憲問題の現在

前田――次に改憲問題について少し伺います。安倍首相としてはとにかく何が何でも改憲ということで、「全国の自治体が自衛隊の隊員募集に協力していない」と言い出しました。事実に反すると言われても、同じことを繰り返す。

斎藤――自治体の隊員募集がどうのこうのというのは、いかさまもいいところです。具体的には、住民票を各自治体が防衛省の命令一つでデータのまま提供しないことを言っています。住民基本台帳は公開が原則で、本人や家族以外でも、たとえば公的な世論調査などが目的なら見せてくれます。ただし見せるだけでコピーはできない。だから自衛隊は一人ひとり手書きでメモせざるを得ない。それがけしからんと安倍首相は言っていた。自治体が協力していないのではない。多くが法律にのっとった対応をしているだけの話です。

前田――自衛隊員募集システムを国家と自治体が完全に支配してスムーズにしておく。将来的な徴兵制を念頭に置いているのかと思います。

斎藤――置いていると思います。具体的に軍隊にとって徴兵がどこまで有効かはまた別の話になります。現代兵器は素人が簡単に扱えるものではない、徴兵などあり得ないと言いたがる賢しげな人も時々いますが、徴兵にはそういうことと違う次元の意味がある。今の自民党の人たちは、普通の若者を兵士として戦力にすることよりは、嫌がる人間に何事かを無理やりやらせることに悦びを感じている人が多すぎると思う。自民党は12年4月に憲法改正草案を作っていますが、そこにも徴兵が可能になる条文が組み込まれています。

現行憲法の18条には、「何人も、いかなる奴隷的拘束も受けない。又、犯罪に因る処罰の場合を除いては、その意に反する苦役に服させられない」とあります。現時点で徴兵が否定される根拠がこれです。そこで自民党改憲草案は18条をこう改める。「何人も、その意に反すると否とに関わらず、社会的又は経済的関係において身体を拘束されない」。社会的経済的とは何でしょうか。現行憲法では「あらゆる拘束はなし」と言っていたのが、「社会的・経済的関係」

に限定する。社会的経済的という文脈がなければ拘束してもよいということです。

前田──軍事的又は防衛的関係では「拘束される」ということでしょうか。「嫌がるものをやらせよう」とするという言い方ですが、要するに権力とは何かを国民に思い知らせる、そういうニュアンスです。19年7月の総選挙では安倍政権は改憲を正面から打ち出して有権者の意思を問うことはしませんでした。ところが選挙に勝利するや、「有権者が改憲を支持した」などと言い出しました。いつものご都合主義です。20年9月に菅政権が発足しました。改憲問題についての独自の姿勢はないと思います。安倍ほど前のめりではないようですが、改憲路線に変更はないようです。

政治家の権力観

斎藤──現在の主流の人たちが権力を自分たちが行使することの怖さを知らないだけではなくて、国民に知らしめる、強制する。権力支配を「抜き身」でやってきてる。

前田──斎藤さんは、3人の元大物自民党の人にインタビューをしました。古賀誠、亀井静香、小沢一郎です。古賀誠（1940年〜）は運輸大臣、自民党幹事長でした。亀井静香（1936年〜）は警視正を経て、運輸大臣、建設大臣などを歴任しました。小沢一郎（1942年〜）は自民党幹事長、新生党代表、民主党代表、生活の党代表などを経て、現在は立憲民主党に所属しています。

斎藤——古賀誠さんが強く言っていたのは、安倍晋三という男は権力の怖さを知らないことです。古賀さんは古きよき自民党が好きな人ですから、そことの比較ですが、かつての自民党にはそれなりの権力論があった。権力の怖さを知っているからあまり無茶をしなかった。今は抜き身で段平《だんびら》を振り回している。そこに小選挙区制がありますから、1つの選挙区で1人しか公認が取れない。党執行部の力が強くなります。執行部イコール安倍なので、全員が安倍のほうを向く、と。とはいえ古賀さんは、石破茂や野田聖子（元郵政大臣、元総務大臣）のように、何も安倍の顔色を窺わなくても、逆らってもしっかり自民党の総裁選に出られる人間だっていくらでもいるのにどうしてなのか、と嘆いていました。

とにかく自民党内の大方は執行部の言いなりになっている。これは小選挙区の特性でもあるから、権力を持つ者の自制心が大切になるはずなのに、安倍首相は持てる権力をすべて使ってしまう。それは官僚に対しても同じです。私は古賀さんが自画自賛するほど、昔の自民党が立派だったとも思いませんが、現在がとてつもなく酷いという点では同感するしかありません。

前田――古賀、小沢、亀井の3人は自民党でそれぞれ大きな役割を果たした人たちです。野党勢力ではなく自民党の本流の中から安倍政権への一定の懸念が出てきている。

古賀誠は12年に政界を引退しましたが、19年に『憲法九条は世界遺産』（かもがわ出版）という本を出しました。内閣官房長官、自民党幹事長などを歴任した野中広務（1925～2018年）の「後を歩いて」きたと自ら述べる古賀は、政治を安定させるという意味で「安倍総理の努力」を評価しつつも、憲法改正には反対を明言しています。

「この平和憲法九条は国民の決意であり覚悟なんです。理想に向かってそれを実現するためにがんばる、努力するものです。日本の国は世界遺産のようなすばらしい平和憲法を持ったんだから、この九条を守るのがわれわれの責務であり使命であり命題です。理想を実現するために政治はあるんじゃないですか」

「そもそも『憲法九条改正』など、ときの権力者がいうことではありません。憲法は国民のものなのです。憲法は権力行使を抑制するための最高法規です。私は安倍総理の評価すべきところは評価すべきとは思いますが、憲法の『九条改正』についてはあまりにも拙速すぎると不安です」

自民党内にもこういう良識は残されているはずですが、表だって口に出来ない雰囲気になっています。小沢一郎は何を言っていたでしょうか。

斎藤――安倍政権については「話にならないね」ということでした。「安倍首相がやりたいことは何なんでしょうか。アメリカにひたすらすり寄って、国内的にもアジアにおいても、かつての大日本帝国のように振舞いたいということではないのですか」と問うと、小沢さんの考えも一緒でした。要するに、おじいさんの果たせなかった夢をやりたいだけではないのか。岸信介ですね。岸が役人としてやりたかったこと、つまり大日本帝国を完成させたい。

亀井静香さんは、彼のことを「晋三」と呼びます。父親の安倍慎太郎との関係で可愛がっていたからですが、その割には最も辛辣な評価を下していました。最初は、安倍晋三は日本のアイデンティティを貫こうとしていると思ったそうです。しかし、いうこととやることが全然違う。亀井静香自身も憲法改正論者ですが、今の憲法改正については、「このままでは奴隷が主人に仕えるための憲法になる」と危機感を語っていました。

前田――彼らはすでに政治家としてリタイア状態であるがゆえに言えているのであって、現職の政治家からこういう話は出てこない。小沢は野党側の経歴が長くなりましたし。

斎藤——古賀さんや亀井さんにも「現職の時に言って下さいよ」と思いましたが、完全にやめている人にしか言えていないのが現状ですね。

この3人の話には出てきませんでしたが、小選挙区制や安倍という人間のキャラクターだけではない、安倍政権の決定的な強みがあると私は思います。アメリカとの距離です。岸信介以来の「アメリカのエージェント」としての岸家、安倍家であるということ。東京裁判ではA級戦犯容疑者で、裁かれることになっていた人物が総理大臣になってしまった。アメリカにとって都合がよかった。

前田——戦争犯罪人として裁かれるどころか、CIAからお金をもらって暗躍した。アメリカにこびへつらうことで政治家として延命し、国家権力を握ってしまった。

斎藤——その孫は、自分の野心を満たすためなら何でも受け入れる人間であるが故に、アメリカにすり寄ったおかげで、強大なアメリカの後ろ盾を得た、あるいは得たとみんなに思い込ませることに成功した。安倍首相に逆らうと潰されるという恐怖心を政財官界に植え付けた。

前田――この話で思い出すのが、田中政権はなぜ潰れたのか。鳩山由起夫政権はなぜ潰れたのか。実証的にすべて判明しているわけではありませんが、「対米従属」の自民党政治を再確認するしかない。ロッキード事件によって田中政権が潰れた話は戦後史の一コマですが、09年の政権交代でできた鳩山政権も、アメリカと、アメリカにこびへつらう官僚によって足を掬われて潰れたことが明らかになってきました。鳩山友紀夫・白井聡・木村朗『誰がこの国を動かしているのか』（詩想社）に詳しく述べられています。

人間を幸せにするジャーナリズム

前田――最後に、人間を幸せにするジャーナリズム、ということで少し伺います。斎藤さんの言葉では人間のための経済学というのがあります。ジャーナリズムも同じだと思います。斎藤さんは金子兜太とちばてつやに言及していました。俳人と漫画家です。

斎藤――金子兜太さんとちばてつやさんは朝日新聞出版が出している雑誌『アエラ』の企画「現在の肖像」欄の取材でお会いしたのですが、お2人とも素晴らしい方です。兜太さんは取材している途中に亡くなってしまいましたが、お話しするたびに感銘を受けました。例の「アベ政治を許さない」、あれを揮毫《きごう》したのは兜太さんです。アベとカタカナになっているのはわざとだそうです。なぜかと兜太さんに聞いたら、「あんな奴に漢字はもったいない」。日本の伝統文芸の最高峰がそこまで言った。なぜならあの人は、戦時中も太平洋のトラック諸島（現在ミクロネシア連邦のチューク島）で死ぬか生きるかの体験をした。

前田――金子兜太（1919～2018年）は、日本を代表する俳人です。加藤楸邨に師事し、「寒雷」所属を経て「海程」を主宰しました。戦後の社会性俳句運動、前衛俳句運動において理論と実作の両面で中心的役割を果たしました。大日本帝国海軍主計中尉に任官、トラック島で200人の部下を率いたそうです。餓死者が相次ぐ戦場で奇跡的に命拾いしました。

斎藤――一方のちばてつやさんは、ボクシング漫画『あしたのジョー』で有名です。

前田――かつて斎藤さんは、『あしたのジョー』や『巨人の星』の原作者の梶原一騎の伝記『夕やけを見ていた男――評伝梶原一騎』（新潮社）を書いたので、ちばてつやにも思い入れがありますね。

斎藤――あれを書いたとき以来、25年ぶりの再会でしたが、覚えていてくださったのが嬉しくて。ちば先生は旧満州からの引揚者です。戦争体験をいまだに引きずって、現状に対して問題を深く感じている。こういう人たちが漫画や俳句の世界で頑張ってきたわけで、ジャーナリズムというのは本来、こういう立ち位置が基本でなければならないと、私は考えます。ところが、先ほど言ったように新聞社は権力に迎合している。

私が偉そうに言える立場でないことは、自分が一番よくわかっています。大学を出た頃は志も何もなく、記者になった最大の志望動機は何かというと、「かっこいいと思った」からでしかありません。最初は業界紙に勤務して、業界各社の社長さんに気に入られることしか考えていなかったのですが、やっていくうちに色々おかしいと思い、次第に今の立場になりました。権力のチェック機能。ここを忘れてはジャーナリズムが成立しないし、そもそも存在意義を見失う。ネット万能の今日は、ただ単に金儲けで書く文章はプロでなくとも溢れていますしね。生業《なりわい》として取材をし、原稿を書くプロでなければできないことというのは必ずあるので、私はそこを突き詰めていきたいと思います。活字媒体がどんどんなくなっていく中で、これまでの様にやれるかどうかは疑問でもありますが、できる間は精一杯やっていきたい。そして、いずれは今までのようにみんなが気づかない問題を見つけて指摘するだけでなく、本意ではないのですが「提言型」というスタイルでも書いてみたい。

前田——ありがとうございました。安倍政権から菅政権に移行しました。菅政権は早速、日本学術会議任命拒否事件を引き起こして、学問の自由を攻撃すると同時に、民主主義と法治主義を破壊しています。アベコベ政権からアベスガ政権になっても公文書の改竄や隠蔽が続きそうですから、ジャーナリズムの再生が急がれます。

改憲問題では、菅首相は、10月26日の第203回国会における所信表明演説において、「国の礎である憲法について、そのあるべき姿を最終的に決めるのは、主権者である国民の皆様です。憲法審査会において、各政党がそれぞれの考え方を示した上で、与野党の枠を超えて建設的な議論を行い、国民的な議論につなげていくことを期待いたします」と述べました。安倍晋三と比べると控えめと言えますが、憲法九九条が定める憲法尊重擁護義務を無視して、早くも憲法違反と法律違反を繰り返しています。

斎藤——菅政権も改憲に向けて力を注ぐと思います。一部の報道によると、10月29日、二階俊博幹事長の招集で自民党全派閥の幹部クラスによる秘密会合が開かれたようです。岸田文雄前政調会長、細田博之元官房長官、竹下亘元総務会長、森山裕国対委員長、山本有二元農水相、中谷元元防衛相、森英介元法務相等が勢揃いして、自民党として憲法改正原案を取りまとめる確認をしたとされています。菅首相も総裁として「挙党態勢で取り組んでほしい」といっていますから、二階幹事長と菅首相の連携で改憲に筋道をつけようとしているように見えます。

前田――安倍首相は「2020年を新しい憲法が施行される年にしたい」と打ち上げましたが、野党の反発を買い、憲法改正の発議にこぎ着けるどころか、改憲が遠のいた印象があります。アベ改憲には野党が正面切って抵抗します。菅政権による改憲が潜行しているのは、野党の動向を見極めるためとも考えられます。

斎藤――菅首相には憲法改正について安倍前首相ほどの思い入れはないはずです。安倍氏の改憲へのモチベーションは、祖父の岸信介元首相が果たせなかった〝大日本帝国の復活〟でしたが、菅氏にはその種のバックグラウンドはありませんから。

しかし、だから無茶はしないだろうという観測が成り立つわけでもない。逆に、肩の力が抜けている分かえってあぶない、ともいえます。個人的な悲願などではなく、どこまでも政治的に求心力を高め、支配体制を確立するための方便として進めていくということですから、方法論も、安倍時代とはずいぶん変わってくるでしょう。

菅首相は安倍氏以上に権力欲が強いと言われており、実際、デジタル庁の創設やマイナンバーカードの普及促進など、監視社会の完成に向けた情熱、情念は、異様なものを感じます。「とにかく戦争がしたい！」という安倍氏の野心はわかりやすいが、さすがに多くの共感を得ることは難しかった。

しかし、自民党や財界が憲法改正を進めたい理由は、戦時体制の構築ばかりではありません。基本的人権を奪い、薄め、人を国家権力や巨大資本に都合よく誘導し、奉仕させるのも大きな目的です。一方で、監視社会に対する抵抗は、ネット社会の深化とともに、薄らいでいくばかり。このテーマをずっと取材してきた私には、よくわかります。今や監視社会を批判すると、「ネオ・ラッダイト」（Neoradite）と批判されたり、「こういう連中がいるから日本は進歩しない」だのと罵倒される時代です。人間を心身ともに支配したいという菅氏の変質的なリビドーは、利便性のためならリスクを考慮せずに追従する国民感情と親和性があるのではないかと危険を感じます。

前田――他方、11月3日のアメリカ大統領選は大接戦と大混乱でしたが、いずれにせよ菅政権に固有の外交政策はありませんから、これまで通り対米盲従路線を邁進するしかないでしょう。

斎藤――投票で過半数を制したのは民主党のジョー・バイデン氏でした。徹底した差別主義者で、アメリカ社会を完全に分断させてしまったトランプ氏が表舞台から去っていくことは心から歓迎したい。それでもバイデン大統領の誕生を手放しで歓迎できないのも、また確かです。

第1章でも少し触れましたが、トランプの共和党政権は、〃アメリカの割には〃あまり戦争をしたがらなかった。しかし、民主党政権は相変わらず〃世界の警察官〃的な自己イメージが強い。バイデン政権はおそらく、日本列島をこれまで以上に対中国の橋頭保《きょうとうほ》として明確に位置付けてくることになるのではないか。とすれば、対米盲従路線の意味も変わっていく。憲法改正を推進させようとするアメリカ側の圧力に拍車がかけられ、列島全土が対中ミサイル基地にさせられてしまう可能性もなしとしません。危機的状況はさらに続くでしょう。

せめて生きている間に、人間らしく生きられる時代を実現させたいものです。

あとがき

本書は前田が斎藤貴男さんにインタヴューした記録を下地にして新たにまとめたものです。最初の3回は「平和力フォーラム横浜」の企画で、「この国の病巣を抉る――ジャーナリズムにできること」と題して市民向けの公開インタヴューを実施しました。会場は新横浜のスペース・オルタ。主催は平和力フォーラム、協賛は一般社団法人市民セクター政策機構、スペース・オルタ、脱原発市民会議かながわ、福島原発かながわ訴訟原告団です。

1回目　東京電力――排除の系譜の研究（2018年12月22日）
2回目　「戦争経済大国」とは何か（2019年1月27日）
3回目　消費税増税のカラクリ（2019年2月16日）

以上の3回の記録をまとめて1冊の本をつくる予定でしたが、政治情勢に大きな変動があったため、改めて次の2回の個別インタヴューを行いました。

4回目　新型コロナ時代を生きる（2020年5月28日）
5回目　菅政権をどう見るか（2020年9月28日）

以上、全部で5回のインタヴューのため分量がかなり多くなり、大幅に削除・圧縮するとともに、最新情報を加筆しました。

＊

はしがきで触れたように、１９６４年の東京オリンピック、そして高度経済成長にさしかかり、飛躍する時期の「明るい」日本政治・経済を見据えて、当時の知識人たちは『にっぽん診断』（三一新書）を世に問いました。

本書では、18年の明治１５０年、19年の天皇代替り、20年のＴＯＫＹＯ２０２０、25年の大阪万博、27年のリニア新幹線、30年の札幌オリンピックと続くスケジュールには、かつてとは逆に、極限的な政治腐敗、長期化する経済停滞、深刻化する人間蔑視の「暗い」日本政治・経済が刻み込まれていることに焦点を当てました。新型コロナ禍、東京電力問題、戦争経済大国、消費税問題という切り口に限定せざるをえませんでしたが、その他の論点を取り上げても、「脱出口の見えない日本」が浮き彫りになります。

この矛盾を乗り切るために設定された「新しい帝国主義」と「新しい生活様式」は、欺瞞的な棄民国家の始まりを意味します。「新しい帝国主義」と「新しい生活様式」は、果てしなき監視社会化の帰結であると同時に、この国が自国民に対して棄民政策を押し付け、周辺諸国民にふたたび悪夢の日々をよみがえらせる危険があります。

現代日本は表層だけが腐敗しているのではなく、深層において静かな壊死が進行しており、構造的に自壊する危険があることに警鐘を鳴らすのが私たちの役割です。

とはいえ、私たちは単純に「絶望」しているわけではありません。絶望的な状況を前に、懸命に火を灯している人々が随所にいることを私たちは知っています。騙されても、押しつぶされても、決してあきらめず、くじけず闘ってきた人々の闘いに学んできました。本書もその闘いに連なる試みとして、つくりました。読者による忌憚のない批評をお待ちしています。

なお、本書をつくるにあたって、市民セクター政策機構の徐陽子さん、スペース・オルタの佐藤真起さん、福島原発かながわ訴訟原告団長の村田弘さん、脱原発市民会議かながわのみなさんのご協力をいただきました。ありがとうございます。

２０２０年11月３日

前田　朗

◉著者プロフィール

斎藤 貴男（Saito Takao）

1958年、東京生まれ。

早稲田大学商学部卒、英国バーミンガム大学修士（国際学MA）。新聞記者、週刊誌記者を経てフリーに。格差、監視、企業社会などさまざまな社会問題をテーマに精力的な執筆活動を行っている。

著書に『夕やけを見ていた男――評伝梶原一騎』（新潮社）『カルト資本主義』『機会不平等』（以上文藝春秋）『安心のファシズム』『民意のつくられかた』『ルポ改憲潮流』『ジャーナリストという仕事』（以上岩波書店）『消費税のカラクリ』『「東京電力」研究　排除の系譜』（以上講談社）『分断される日本』（角川書店）『戦争経済大国』（河出書房新社）『日本が壊れていく――幼稚な政治、ウソまみれの国』（ちくま新書）『驕る権力、煽るメディア』（新日本出版社）等。

前田 朗（Maeda Akira）

1955年、札幌生まれ。

中央大学法学部、同大学院法学研究科を経て、現在、東京造形大学教授（専攻：刑事人権論、戦争犯罪論）。朝鮮大学校法律学科講師、日本民主法律家協会理事、救援連絡センター運営委員。

著書に『増補新版ヘイト・クライム』、『ヘイト・スピーチ法研究序説』、『ヘイト・スピーチ法研究原論』、『ヘイト・スピーチと地方自治体』、『憲法９条再入門』、『なぜ、いまヘイト・スピーチなのか』［編］、『ヘイト・クライムと植民地主義』［編］、『思想はいまなにを語るべきか』［共著］（以上、三一書房）、『軍隊のない国家』（日本評論社）、『パロディのパロディ―井上ひさし再入門』（耕文社）、『旅する平和学』、『メディアと市民』、『思想の廃墟から』［共著］（以上、彩流社）等。

新にっぽん診断
腐敗する表層、壊死する深層

2020年12月15日　第1版 第1刷発行

著　者―― 斎藤 貴男 © 2020年
前田　朗 © 2020年
発行者―― 小番 伊佐夫
装丁組版― Salt Peanuts
印刷製本― 中央精版印刷

発行所―― 株式会社 三一書房
〒101-0051
東京都千代田区神田神保町3－1－6
☎ 03-6268-9714
振替 00190-3-708251
Mail: info@31shobo.com
URL: https://31shobo.com/

ISBN978-4-380-20008-3　C0036　Printed in Japan
乱丁・落丁本はおとりかえいたします。
購入書店名を明記の上、三一書房まで。